KB118910

팩토
영재성 검사
창의적 문제 해결력

수학

중등
1 ~ 2
학년

매스티안

구성과 특징

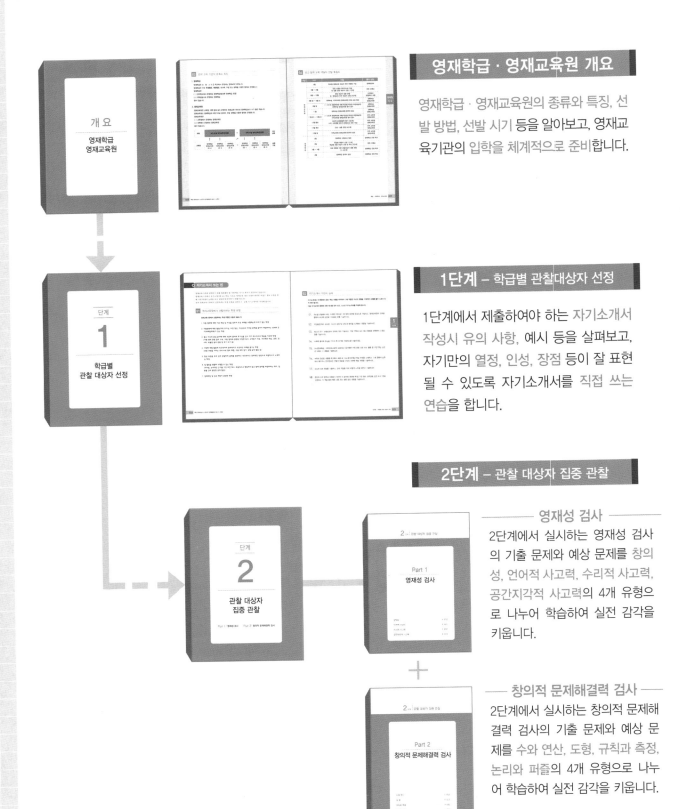

영재학급 · 영재교육원 개요

영재학급 · 영재교육원의 종류와 특징, 선발 방법, 선발 시기 등을 알아보고, 영재교육기관의 입학을 체계적으로 준비합니다.

1단계 – 학급별 관찰대상자 선정

1단계에서 제출하여야 하는 자기소개서 작성시 유의 사항, 예시 등을 살펴보고, 자기만의 열정, 인성, 장점 등이 잘 표현될 수 있도록 자기소개서를 직접 쓰는 연습을 합니다.

2단계 – 관찰 대상자 집중 관찰

영재성 검사

2단계에서 실시하는 영재성 검사의 기출 문제와 예상 문제를 창의성, 언어적 사고력, 수리적 사고력, 공간지각적 사고력의 4개 유형으로 나누어 학습하여 실전 감각을 키웁니다.

창의적 문제해결력 검사

2단계에서 실시하는 창의적 문제해결력 검사의 기출 문제와 예상 문제를 수와 연산, 도형, 규칙과 측정, 논리와 퍼즐의 4개 유형으로 나누어 학습하여 실전 감각을 키웁니다.

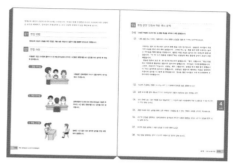

4단계 – 인성 및 심층 면접

4단계의 인성 및 심층 면접의 진행 방법
및 예상 질문 등을 유형별로 파악하여
실전 면접에 대비합니다.

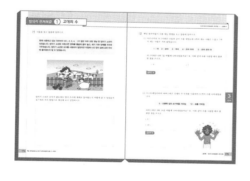

3단계 – 창의적 문제해결력 수행 관찰

3단계의 창의적 문제해결력 수행 관찰
의 예상 문제를 통하여 창의적인 아이디
어를 바탕으로 문제를 해결하는 실전 감
각을 키웁니다.

Contents

| 영재학급 · 영재교육원 개요 | P. 005

| 관찰추천제 1단계 | 학급별 관찰대상자 선정 P. 016

| 관찰추천제 2단계 | 관찰 대상자 집중 관찰 P. 044

⑴ 영재성 검사 P. 051
⑵ 창의적 문제해결력 검사 P. 151

| 관찰추천제 3단계 | 창의적 문제해결 수행 관찰 P. 172

| 관찰추천제 4단계 | 인성 및 심층 면접 P. 194

개 요

영재학급
영재교육원

공부 잘하는 학생	영재 학생
질문에 **정답**을 잘 맞힌다	질문에 대해 **질문**한다
흥미를 보인다	호기심이 높다
경청 한다	감정과 의견을 강하게 표출한다
또래들과 잘 어울린다	어른들과 어울리는 것을 좋아한다
이해력이 좋다	**추론**을 잘한다
정확히 답습한다	새롭게 창조한다
정보를 잘 기억한다	정보를 조작한다
암기를 잘한다	**추측**을 잘한다
자기의 학습에 만족한다	자기 비판적이다
수용적이다	집착을 잘한다
뭐야? 라는 질문을 잘한다	**왜?** 라는 질문을 잘한다
좋은 아이디어를 낸다	생소하고 이상한 아이디어를 낸다
기술자형이다	**발명가형**이다
열심히 공부한다	빈둥거리면서 잘한다

02 영재교육기관 입학 준비

**관찰
기록**

학생이 영재라고 생각하는 구체적인 근거를 제시할 수 있도록 학생의 일상을 상세히 관찰하고 기록합니다.

각종 대회에서 입상했던 것들, 학생이 일상에서 만든 산출물 등을 모아 두거나 사진을 찍어 둡니다.

**학부모
추천**

학교에서 영재교육 대상자 선발을 위해 가정통신문을 받았을 때, 자녀가 영재라고 생각되면 학부모 추천 통신문을 기록하여 보내주면 됩니다.

그간의 기록물도 같이 보내 관찰에 참여하는 선생님들이 참고할 수 있도록 해도 좋습니다.

**집중
관찰대상자
선정**

담임 선생님 및 학교의 관찰추천 위원들이 학부모의 추천을 받은 학생들을 집중 관찰하고 평가하여 학교 대표로 영재성 평가에 참여하게 될 학생을 선발합니다.

**학교 추천을 통한
영재성 평가**

학교 추천을 받게 되면 해당 영재교육기관에서 창의적 문제해결 수행 관찰 및 면접을 보게 됩니다.

이 시험에서 최종 합격을 하게 되면 영재교육을 받을 수 있습니다.

1. 영재학급

영재학급은 초·중·고 각급 학교에서 운영되는 영재교육기관입니다.

영재학급은 주로 특별활동, 재량활동, 방과후, 주말 또는 방학을 이용한 형태로 운영됩니다.

영재학급은

(ⅰ) 단위학교에서 운영하는 영재학급(방과후 영재학급 포함)

(ⅱ) 지역공동으로 운영하는 영재학급

등이 있습니다.

2. 영재교육원

영재교육원은 교육청, 대학 등에 설치 운영하는 영재교육기관으로 영재학급보다 수가 훨씬 적습니다.

영재교육원도 영재학급과 마찬가지로 방과후, 주말, 방학을 이용한 형태로 운영됩니다.

영재교육원은

(ⅰ) 교육청에서 운영하는 영재교육원

(ⅱ) 대학에서 운영하는 영재교육원

등이 있습니다.

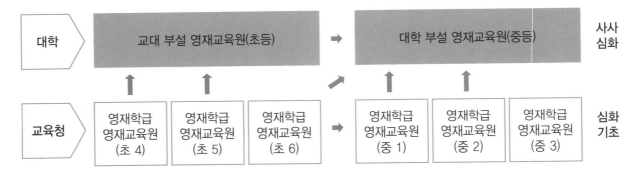

구분	시기	내용	업무 담당
영재교육원	5월	학교별 영재교육 대상자 추천 위원회 구성	영재담당부
	5월 ~ 9월	담임 선생님 체크리스트 작성 및 집중 관찰 대상자 선정 [1단계]	담임 선생님
	9월 ~ 10월	관찰 대상자 집중 관찰 및 영재교육 추천 대상자 선정 [2단계]	단위학교 관찰추천 위원
	8월 말 ~ 9월 초	대학부설, 지역교육청 영재교육원 모집 요강 발표	대학부설 영재교육원
	9월 말	(1~2단계 관찰추천에 의해 학교별 학교장 추천대상자) 대학부설 영재교육원 원서 접수	대학부설 영재교육원
	11월	대학부설 영재교육원 합격자 발표	대학부설 영재교육원
	11월 말 ~ 12월 초	(1~2단계 관찰추천에 의해 학교별 학교장 추천대상자) 지역교육청 영재교육원 원서 접수	지역 교육청 영재교육원
	12월 중순	창의적 문제해결력 평가 [3단계] (시도 교육청별 별도의 방법으로 운영 가능)	지역 교육청 영재교육원
	12월 후반	인성·심층 면접 [4단계]	지역 교육청 영재교육원
	12월 말	지역교육청 영재교육원 합격자 발표	지역 교육청 영재교육원
영재학급	2월	영재학급 선발요강 발표	영재학급 운영 학교
	3월	학급별 희망자 신청 [1단계] 학급별 관찰 대상자 선정 및 추천 [2단계]	담임 선생님
	3월 ~ 4월	자체 계획에 의한 관찰대상자 집중 관찰 [3~4단계]	영재학급 운영 학교
	4월	영재학급 합격자 발표	영재학급 운영 학교

영재원
개요

05 교육청 영재교육원 선발 방식 및 시기

1. 교육청 영재교육원 선발 시기

시기	내용	추진 기관
8월	선발 요강 발표	교육청 영재교육기관
3월 ~ 9월	관찰대상자 선정 [1단계]	단위 학교
9월 ~ 11월	관찰대상자 집중 관찰 [2단계] 추천 대상자 선정 및 추천 [2단계]	단위 학교
12월	자체 계획에 의한 선발 [3~4단계] 최종 합격자 발표	교육청 영재교육기관

2. 교육청 영재교육원 선발 방식 : 관찰추천제

단계	추진 내용	인원	업무 담당
1단계	집중 관찰대상자 선정	학교가 결정	담임 선생님
2단계	관찰대상자 집중관찰	학교 총 재적수의 3% 이내	단위학교 관찰 추천위원
3단계	창의적 문제해결력 수행 관찰	최종 선발인원의 1.2배수	교육청 영재교육원 평가위원
4단계	인성 및 심층 면접	최종 선발인원	교육청 영재교육원 평가위원

※ 3~4단계 : 시도교육청 영재교육원 자체 계획에 의한 별도 전형으로 선발

06 단위 학교 영재학급 선발 방식 및 시기

1. 영재학급 선발 시기

시기	내용	추진 기관
2월	선발 요강 발표	운영 학교
3월	학급별 희망자 신청 [1단계] 학급별 관찰 대상자 선정 및 추천 [2단계]	운영 학교 각 학급
3월 ~ 4월	자체 계획에 의한 관찰대상자 집중 관찰 [3~4단계]	운영 학교
4월	최종 합격자 발표	운영 학교

2. 영재학급 선발 방식 : 관찰추천제

단계	추진 내용	인원	업무 담당
1단계	학급별 희망자 신청	학교가 결정	담임 선생님
2단계	학급별 관찰 대상자 추천	학교가 결정	담임 선생님
3단계	창의적 문제해결력 평가	지원 인원	운영 학교 평가위원
4단계	인성 및 심층 면접	최종 선발인원	운영 학교 평가위원

※ 3~4단계 : 각 학교 영재학급별 자체 계획에 의한 별도 전형으로 선발

07 대학부설 영재교육원 선발 방식 및 시기

1. 대학부설 영재교육원 선발 시기

시기	내용	추진 기관
9월	선발 요강 발표	대학부설 영재교육원
5월 ~ 9월	관찰대상자 선정 [1단계]	단위 학교
9월	관찰대상자 집중 관찰 [2단계] 추천 대상자 선정 및 추천 [2단계]	단위 학교
10월 ~ 11월	자체 계획에 의한 선발 [3~4단계] 최종 합격자 발표	대학부설 영재교육원

2. 대학부설 영재교육원 선발 방식 : 관찰추천제

단계	추진 내용	인원	업무 담당
1단계	추천	대학부설 영재교육원 결정	영재 담당 선생님
2단계	서류 심사 (지원서, 학교생활기록부, 자기소개서, 교사추천서)	대학부설 영재교육원 결정	대학부설 영재교육원 평가위원
3단계	심층 면접 1	대학부설 영재교육원 결정	대학부설 영재교육원 평가위원
4단계	심층 면접 2	최종 선발 인원	대학부설 영재교육원 평가위원

※ 3~4단계 : 각 대학부설 영재교육원 자체 계획에 의한 별도 전형으로 선발

3. 대학부설 영재교육원 관찰추천제 평가 도구 (예시)

평가 도구 (제출 서류)	설명
자기소개서 (15%)	• 평가 대상 : 탐구 활동, 영재성 실례, 장래 희망 • 평가 항목 : 관련 분야의 지적 능력, 영재성, 창의성
학교생활기록부 (15%)	• 평가 대상 : 학교생활기록부 • 평가 항목 : 학습 능력, 영재성 관련 활동, 봉사 활동, 가치관
교사추천서 (20%)	• 평가 대상 : 창의력, 지적 능력, 학습 성과에 관한 정량적 표기 및 근거, 지원자의 영재성의 실례 기술 • 평가 항목 : 영재성, 창의성, 지적 능력, 학습 성과
심층 면접 1 (30%)	• 평가 대상 : 자신의 능력 및 근거 등에 대한 제출 서류의 진실성 등의 확인 • 평가 항목 : 창의력, 영재성, 지적 능력, 학문적성, 집중력, 발표력
심층 면접 2 (20%)	• 평가 대상 : 관찰 대상을 제시하고 관찰 내용을 기술, 다양한 일상 주제에 대한 자신의 주장을 논리적으로 기술 • 평가 항목 : 영재성, 창의력, 논리력, 인성

※ 각 대학부설 영재교육원 자체 계획에 의한 별도 평가 도구 사용 가능

4. 대학부설 영재교육원 설치 운영 현황 ('13.4월 기준)

시도	개수	기관명	관할	초등학교 대상	중학교 대상	고등학교 대상
서울	11	서울교육대학교 과학영재교육원	국가	○		
		서울대학교 과학영재교육원	국가		○	
		연세대학교 과학영재교육원	국가		○	
		동국대학교 과학영재교육원	국가	○	○	
		건국대학교 음악영재교육원	시도본청	○	○	○
		고려대학교 영재교육원	시도본청	○	○	
		덕성여자대학교 도봉영재교육원	시도본청		○	
		서울과학기술대학교 노원영재교육원	시도본청		○	
		서울대학교 관악영재교육원	시도본청		○	
		이화여자대학교 서대문영재교육원	시도본청	○	○	
		서울대학교 관악창의예술영재교육원	시도본청	○		
부산	3	부산대학교 과학영재교육원	국가	○	○	
		동의대학교 예술영재교육원	시도본청	○	○	
		부산대학교 예술영재교육원	시도본청	○	○	
대구	6	경북대학교 과학영재교육원	국가		○	
		경북대학교 영어영재교육원	시도본청	○	○	
		경북대학교 정보영재교육원	시도본청		○	
		대구교육대학교 과학영재교육원	시도본청	○		
		대구교육대학교 미술영재교육원	시도본청	○		
		대구교육대학교 정보영재교육원	시도본청	○		
인천	3	인천대학교 과학영재교육원	국가	○	○	
		경인교육대학교 계양영재교육원	시도본청	○	○	
		인천재능대학교 영재교육원	시도본청	○		
광주	2	전남대학교 과학영재교육원	국가	○	○	
		광주교육대학교 영재교육원	시도본청	○		
대전	5	공주대학교 사이버영재교육원(대전)	시도본청	○	○	
		대전대학교 인문영재교육원	시도본청	○	○	
		충남대학교 고등영재교육원	시도본청			○
		카이스트 글로벌영재교육원	시도본청	○	○	○
		충남대학교 과학영재교육원	시도본청	○	○	
울산	1	울산대학교 과학영재교육원	국가	○	○	

지역	수	기관명	구분			
경기	8	가천대학교 과학영재교육원	국가	○	○	
		대진대학교 과학영재교육원	국가		○	
		아주대학교 과학영재교육원	국가	○	○	
		가천대학교 과학영재교육원	시도본청	○	○	
		강남대학교 부설 예술영재교육원	시도본청	○	○	○
		경인교육대학교 부설 과학영재교육원	시도본청	○		
		수원대학교 부설 영재교육원	시도본청	○	○	
		한국외국어대학교 부설 영재교육원	시도본청	○	○	
강원	4	강릉원주대학교 과학영재교육원	국가	○	○	
		강원대학교 과학영재교육원	국가	○	○	
		강원대학교 의학영재교육원	시도본청	○	○	
		춘천교육대학교 발명영재교육원	시도본청	○	○	
충북	2	청주교육대학교 과학영재교육원	국가	○	○	
		충북대학교 과학영재교육원	국가	○	○	
충남	5	공주대학교 과학영재교육원	국가	○	○	
		공주교육대학교 영재교육원	시도본청	○		
		공주대 사이버영재교육원(충남)	시도본청	○	○	
		순천향대학교 영재교육원	시도본청	○	○	
		호서대학교 국제영재교육원	시도본청	○	○	
전북	4	군산대학교 과학영재교육원	국가	○	○	
		전북대학교 과학영재교육원	국가	○	○	
		원광대학교 영재교육원	시도본청		○	
		전주교육대학교 영재교육원	시도본청	○		
전남	2	목표대학교 과학영재교육원	국가	○	○	
		순천대학교 과학영재교육원	국가	○	○	
경북	4	안동대학교 과학영재교육원	국가	○	○	
		금오공과대학교 영재교육원	시도본청	○	○	
		동양대학교 영재교육원	시도본청	○		
		안동과학대학교 영재교육원	시도본청	○	○	
경남	4	경남대학교 과학영재교육원	국가	○	○	
		경상대학교 과학영재교육원	국가	○	○	
		창원대학교 과학영재교육원	국가	○	○	
		인제대학교 영재교육원	시도본청		○	
제주	1	제주대학교 과학영재교육원	국가	○	○	
계	65					

1단계는 집중관찰 대상자 선정을 위한 담임 선생님의 추천 단계로 학급별 관찰대상자는 영재교육을 희망하는 학생만을 대상으로 하기 때문에 학교 홈페이지 가정 통신문을 통하여 '희망자 조사'를 합니다.

담임 선생님은 희망자를 대상으로 학교 생활 중 학생의 영재성 관찰, 학생이나 학부모 상담 등에 의해 잠재적 영재들을 발굴하여 집중 관찰 대상자를 선정합니다.

(1) 학생의 수업 태도, 창의성, 과제집중력, 학업성취도 평가
(2) 창의적인 아이디어와 다양한 문제해결 방식을 담임 선생님이 종합평가

시 기	일 정	내 용	자 료
5월 ~ 9월	학생 본인 추천	• 학생의 자기소개서 작성	선발도구 1-1
	학부모 추천	• 가정통신문과 학부모 추천서 작성	선발도구 1-2
	동료 학생 추천	• 동료 학생 추천 설문 실시	선발도구 1-3
	담임 선생님 추천	• 관찰 가능한 행동특성을 중심으로 체크리스트 작성 • 학업성취도와 수행평가 결과 작성	선발도구 1-4
	담임 선생님의 관찰대상자 선정	• 동료 학생 추천, 학부모 추천, 담임 선생님 추천 결과를 종합적으로 고려하여 관찰 대상자 선정	

단계

1

학급별
관찰 대상자 선정

1. 자기 소개서 선발도구 1-1

자기 소개서

이름		소속학교		학년	
지원과정			지원분야		

지원자는 아래의 질문에 대하여 구체적인 사례를 중심으로 자신의 생각이나 경험했던 사실을 바탕으로 답변을 작성해 주시기 바랍니다. 면접 전형에서 답변 내용을 확인할 예정이므로 사실대로 작성하여야 합니다.

---

1. 자신을 선발해야 하는 이유를 지원 동기 및 장래 희망을 중심으로 기술하고, 영재교육원의 교육을 통하여 자신의 성장에 기대하는 바를 기술하시오.

---

2. 교내에서 참가했던 수학 관련 대회 또는 활동 중 가장 인상 깊었던 과정과 그 내용을 기술하시오.

3. 본인이 수학 영역에 지원하기 전까지 이 분야와 관련된 책 중 가장 많은 성취감을 얻은 도서 1권을 선정하고, 이 책을 통해 배운 내용 또는 영향 받은 내용을 기술하시오.

4. 자신의 장래 희망을 기술하고, 장래 희망을 위해 어떻게 노력할 것인지 기술하시오.

5. 위의 질문 사항이 아니지만 스스로 소개하고 싶은 내용이 있다면 기술하시오.

지원자는 자신의 생각과 경험 등 사실에 근거하여 자기소개서를 직접 작성하였음을 확인합니다.

년   월   일

지원자 :   (인)

2. 학부모 추천 　선발도구 1-2

학부모 추천서

(　　　)학년 (　　　)반　이름 : ＿＿＿＿＿＿＿

학부모 이름 : ＿＿＿＿＿＿＿

영재는 또래보다 지적 수준이 매우 높고 과학, 수학, 예술 등 특정 영역의 학업 능력이 뛰어납니다. 과제집착력이 우수하여 주어진 과제에 끝까지 도전하여 해결하며 높은 창의성을 보입니다. 또한 리더십 부분에서 두각을 나타내기도 합니다.

귀댁의 자녀가 위와 같은 영재의 특성을 가지고 있다고 생각하십니까?

만약 그렇다면 아래의 영재 특성 10점 척도(10~9:항상 그렇다, 8~7:자주 그렇다, 6~5:가끔 그렇다, 4~3:드물게 그렇다, 2~1: 전혀 그렇지 않다)에 ○표로 체크해 주십시오. 그리고 '근거가 되는 일화'에는 대표적인 관련 내용을 기록하여 주시기 바랍니다.

번호	영재 특성	근거가 되는 일화
1	또래보다 우수한 지적 능력을 보입니까? [10 9 8 7 6 5 4 3 2 1]	
2	과학 또는 수학에 매우 우수한 학업 능력을 보입니까? [10 9 8 7 6 5 4 3 2 1]	
3	상상력이 풍부하고 다양한 아이디어를 냅니까? [10 9 8 7 6 5 4 3 2 1]	
4	독창적인 방식으로 문제를 해결합니까? [10 9 8 7 6 5 4 3 2 1]	
5	또래 친구들과 놀이나 활동을 할 때 리더십이 있습니까? [10 9 8 7 6 5 4 3 2 1]	
6	주어진 과제를 끝까지 해결하려고 합니까? [10 9 8 7 6 5 4 3 2 1]	

3. 동료 추천 [선발도구 1-3]

동료 학생 추천서

( )학년 ( )반 이름: _____

※ 다음 물음에 해당되는 친구의 이름을 1~3명씩 적어 보세요.

1	우주인을 만난다면, 우주인에게 지구의 자연 환경, 생활 모습 등을 논리적으로 설명할 수 있는 친구는 누구일까요? ① _____ ② _____ ③ _____	
2-1	우리 반에서 과학을 좋아하고 탐구력이 우수하여, 과학 시간에 함께 과학 실험을 하고 싶은 친구는 누구입니까? ① _____ ② _____ ③ _____	
2-2	우리 반에서 수학을 좋아하고 수학 문제를 잘 해결하여, 함께 수학 공부를 하고 싶은 친구는 누구입니까? ① _____ ② _____ ③ _____	
3	우리 반이 무인도에 표류하게 되었다면 살아 남기 위한 좋은 아이디어를 많이 낼 수 있는 친구는 누구일까요? ① _____ ② _____ ③ _____	
4	남과 다르게 생각하고 톡톡 튀는 아이디어로 문제를 해결하는 친구는 누구입니까? ① _____ ② _____ ③ _____	
5	남을 배려할 줄 알고, 까다로운 친구와 같은 모둠이 되어도 힘을 합쳐 문제를 끝까지 잘 해결하는 친구는 누구입니까? ① _____ ② _____ ③ _____	
6	에디슨은 전구의 필라멘트를 발명하기까지 3000번 이상 도전하였다고 합니다. 에디슨처럼 어려운 문제를 포기하지 않고 끝까지 도전하는 친구는 누구입니까? ① _____ ② _____ ③ _____	

4. 담임 선생님 관찰 체크리스트　선발도구 1-4

담임 관찰 체크리스트

(　　　)학년 (　　　)반　이름 : _____　　담임 : _____(서명)

구분	관찰 내용	점수				
일반 능력	또래 아이들보다 풍부한 어휘력을 구사한다.	5	4	3	2	1
	새로운 정보에 대한 이해가 빠르다.	5	4	3	2	1
	어떤 상황이나 현상에 대한 인과관계를 빨리 파악한다.	5	4	3	2	1
	자신의 생각을 논리적으로 표현한다.	5	4	3	2	1
	소계					
리더십	분명한 삶의 목적과 사명의식을 가지고 있다.	5	4	3	2	1
	자신의 능력을 믿으며 스스로를 자랑스럽게 여긴다.	5	4	3	2	1
	모둠활동을 할 때 다른 친구들과 뜻을 잘 맞추면서 한다.	5	4	3	2	1
	소계					
학업 적성	지원하는 분야에 대한 호기심이 강하다.	5	4	3	2	1
	지원하는 분야와 관련된 배경 지식이 다양하고 풍부하다.	5	4	3	2	1
	소계					
창의성	어떤 상황이 발생되면 다양한 아이디어를 산출해 낸다.	5	4	3	2	1
	주어진 문제에서 다양한 시각으로 방법을 찾아 해결한다.	5	4	3	2	1
	문제를 해결하기 위해 산출한 아이디어나 자료를 논리적으로 분석하고 추론한다.	5	4	3	2	1
	소계					
	합계					

[일화 기록 및 종합 의견]

선생님이 여러 학생의 수업
모습을 보며 체크리스트에 기록

선생님이 수업시간에 해결하지 못한 문제를
집에서 생각해 보라고 했는데, 한 명의
학생만 남아서 계속 문제를 푸는 경우

여러 학생의 포토폴리오 중에서
한 학생의 포토폴리오가 굉장히
독특한 경우

여러 학생 앞에서 한 학생이 칠판에
남들과 다른 방법으로 문제를 푼 경우

○ 자기소개서 쓰는 법

영재교육기관에 입학하기 위해 제출해야 할 서류에는 자기소개서가 포함되어 있습니다.
영재교육기관에서 자기소개서를 요구하는 이유는 영재교육 대상 선정과 관련한 폭넓은 정보 수집을 통해 지원 학생의 능력을 보다 세밀하게 파악하기 위해서입니다.
먼저 영재교육기관에서 선발하려는 학생 유형을 살펴보고, 실제 자기소개서를 작성해 봅시다.

01 영재교육원에서 선발하려는 학생 유형

영재교육기관에서 선발하려는 학생 유형은 다음과 같습니다.

1. 지원 영역에 대한 기본 개념 및 지식을 갖추어 도전 과제를 수행하는데 무리가 없는 학생

2. 지원영역에 대한 열정(지적 호기심, 도전 정신, 자신감)과 어려운 문제를 끝까지 해결하려는 인내와 끈기(과제집착력)가 있는 학생

3. 평소 자신의 관심 분야에 대해 꾸준히 흥미와 호기심을 갖고 자기 주도적으로 학습을 지속한 학생
   (지원 영역 관련 잡지 구독, 지원 영역과 관련된 다양한 독서, 수학일기 작성, 프로젝트 학습, 공연, 전시회, 박물관 등의 관람 및 후기 쓰기 등)

4. 다양한 체험 활동에 적극적이며 창의적이고 도전적인 과제를 즐기는 학생
   (선발 과정을 거치는 국내 무료 캠프 체험, 각종 대회 참가, 발명 공작 활동 등)

5. 항상 주변을 주의 깊게 관찰하며 문제를 발견하고 적극적이고 창의적인 방법으로 해결하고자 노력하는 학생

6. 팀 활동을 원활히 수행할 수 있는 학생
   (리더십, 논리적인 근거를 가진 의견 제시, 독립적으로 행동하지 않고 함께 문제를 해결하려는 태도, 팀원들 간의 원만한 관계 형성)

7. 장래 희망 및 진로 계획이 분명한 학생

02 자기소개서 작성의 실제

자기소개서는 각 문항에서 묻는 핵심 사항을 파악하여 그에 적합한 자신의 경험을 구체적인 사례를 들어 스토리 있게 써야 합니다.

다음 자기소개서 문항에 대한 예시를 읽어 보고, 스스로 자기소개서를 작성해 봅시다.

Q1. 자신을 선발해야 하는 이유를 지원 동기 및 장래 희망을 중심으로 기술하고, 영재교육원의 교육을 통하여 자신의 성장에 기대하는 바를 기술하시오.

Q2. 가정환경(부모 교육관), 자신의 장점 및 단점 등 본인을 소개하는 내용을 기술하시오.

Q3. 자신과 친구, 선생님과의 관계에 대해 기술하고, 가장 기억에 남는 봉사 활동을 선택하여 느꼈던 점을 기술하시오.

Q4. 수학에 흥미와 관심을 가지게 된 계기를 구체적으로 기술하시오.

Q5. 교내(영재학급, 과학영재교육원 포함)에서 참가했던 수학 관련 대회 또는 활동 중 가장 인상 깊었던 과정과 그 내용을 기술하시오.

Q6. 수학과 관련된 내용을 학교에서 배울 때 가장 흥미로웠던 학습 주제를 소개하고, 그에 관하여 심화해서 배우거나 연구한다면 어떻게 학습할 것인지 간략한 학습 계획을 기술하시오.

Q7. 자신의 장래 희망을 기술하고, 장래 희망을 위해 어떻게 노력할 것인지 기술하시오.

Q8. 본인이 수학 영역에 지원하기 전까지 이 분야와 관련된 책 중 가장 많은 성취감을 얻은 도서 1권을 선정하고, 이 책을 통해 배운 내용 또는 영향 받은 내용을 기술하시오.

Q1. 자신을 선발해야 하는 이유를 지원 동기 및 장래 희망을 중심으로 기술하고, 영재교육원의 교육을 통하여
자신의 성장에 기대하는 바를 기술하시오.

📝 기술 Point

✔ 지원 분야에 관심을 가지게 된 사건이나 계기, 자신의 활동, 노력 등을 구체적인 사례를 들어 쓰세요.

✔ 지원 분야에 대한 자신의 열정, 앞으로 어떤 일들을 하고 싶다고 반드시 표현하세요.

✔ 영재교육원의 수업에서 얻고자 하는 것이 무엇인지, 어떤 기대를 하고 있는지, 자신의 목표를 이루기 위해 어떻게
학습할 것인지 등을 설득력 있게 쓰세요.

아름다운 건축가를 꿈꾸는 ○○초등학교 ○학년 ○반 ○○○입니다.

평소 건축에 관심이 많은 저는 아빠와 차를 타고 지나가다 건설 중인 다리를 보게 되었습니다. 그때 문득
'저 다리의 기둥은 왜 원기둥으로 만들까? 왜 삼각기둥이나 사각기둥으로는 만들지 않을까?' 라는 생각이
들었습니다. 아빠에게 그 이유를 물어보았더니 아빠도 왜 그런지 궁금하다고 하셔서 직접 실험을 해 보았
습니다.

평소 호기심이 생기면 궁금증을 해결하고야 마는 성격인 저는 이번에도 스티로폼으로 원기둥, 사각기둥, 삼
각기둥을 만들고 실험을 한 결과, 원기둥의 다리가 가장 많은 무게를 견디는 것을 발견하였습니다. 그 이유
를 탐구하는 과정에서 '같은 둘레의 길이를 가진 평면 도형 중에서 원이 가장 넓다'라는 사실도 알게 되었습
니다. 그래서 원이 가지는 특징과 탐구한 결과를 보고서로 작성하여 학교 대표로 지역 교육청 탐구보고서 발
표 대회에 출전하기도 하였습니다.

평소 당연하게 생각했던 것에 '왜 그럴까?'하는 작은 의문에서 시작했지만 그것을 탐구하는 과정 속에서 저
는 많은 것을 배우고 깨닫게 되었습니다. 그 이후로 저는 무심코 지나쳤던 우리 주변 현상에 대해서 '왜?' 하
고 생각해 보는 습관을 갖게 되었습니다.

저의 장래 희망은 시드니 오페라 하우스를 설계한 덴마크 건축가 요른 우촌 같은 건축가입니다. 그래서 저도
미래에 튼튼하고 기능이 다양한 아름다운 건축물을 설계해서 많은 사람들이 오래도록 이용하면서 아름다움
과 행복함을 느끼도록 하고 싶습니다.

하나의 건축물을 만들기 위해서는 수학, 과학, 예술, 공학 등 여러 학문의 지식이 융합되어야 합니다. 그래
서 여러 학문의 기초인 수학과 과학을 더욱 공부하기 위해 이번 ○○대 영재교육원 수학과 과학 융합분야
에 지원하게 되었습니다.

○○대 영재교육원에서 제가 해보고 싶었던 탐구와 실험을 보다 체계적으로 할 수 있고 저와 관심이 같은
친구들과 즐겁게 문제도 해결하고, 탐구, 실험, 토론을 함께 할 수 있다는 생각에 가슴이 설렙니다. 영재교육
원의 수업이 제 꿈을 이루는데 발판이 될 것이라 확신하며, 수업에 성실하게 임하며 최선을 다하겠습니다.

🎤 면접시 예상질문

Q1. 건축물을 만들기 위해서는 왜 수학, 과학, 예술, 공학 등이 융합적으로 필요하다고 생각하는가?

Q2. 원이 가지는 특징 1개를 설명하고, 주변에서 그 특징을 활용한 예를 찾아 설명해 보시오.

자기소개서 직접 써 보기

Q1. 자신을 선발해야 하는 이유를 지원 동기 및 장래 희망을 중심으로 기술하고, 영재교육원의 교육을 통하여 자신의 성장에 기대하는 바를 기술하시오.

Q2. 가정환경(부모 교육관), 자신의 장점 및 단점 등 본인을 소개하는 내용을 기술하시오.

📝 **기술 Point**

✔ 부모님의 교육관, 교육 방법, 부모님께 자신이 받은 영향 등을 구체적인 사례를 들어 진솔하게 쓰세요.

✔ 자신의 장점이 돋보인 사례를 1~2가지 써야 하나, 너무 많은 장점을 장황하게 쓰지 않도록 하세요.

✔ 자신의 단점은 1~2가지 정도만 쓰고 이를 개선하기 위해서 현재 어떤 노력을 하고 있는지 쓰세요.

저희 가족은 아빠, 엄마, 저 이렇게 세 식구입니다.

저희 아빠는 스스로 좋아하는 것을 즐기라고 하십니다. 누구도 즐기는 자를 절대 이길 수 없다고 하시면서 제가 좋아하는 것은 무엇이든 관심을 갖고 해 볼 수 있도록 지원해 주십니다.

얼마 전에도 기계를 좋아하는 저를 위해 아빠는 컴퓨터를 같이 분해해 청소하고 조립하자고 하셨습니다. 청소를 하기 위해 분해를 하면서 이런 조그만 부품이 모여 컴퓨터가 작동된다는 것이 너무 신기했습니다. 아빠가 알려 주시는 대로 조립을 도와드렸는데, 아빠는 잘했다고 칭찬을 아끼지 않으시며 다음엔 다른 것에도 도전해 보자고 용기를 주셨습니다.

저희 엄마는 제가 어렸을 때부터 학원을 보내시기 보다는 도서관이나 서점에 자주 데리고 가서 책을 읽는 습관을 기르도록 해 주셨고, 박물관, 전시회, 공연 등 다양한 경험을 할 수 있도록 해 주셨습니다. 가장 인상 깊었던 일은 예술의 전당에서 '반 고흐부터 피카소까지'의 그림 전시회에 갔었을 때입니다. 그림들을 보다가 문득 '왜 피카소는 자연, 인물 등을 그리지 않고 저런 이상한 형태의 그림을 그렸을까?'하는 의문이 생겼습니다. 집에 돌아와 일기를 쓰며 예술의 전당 곳곳에서 찍은 사진을 보던 중 '사진은 무엇이든 보이는 대로 찍을 수 있고, 피카소는 보이지 않는 감정, 생각 등을 그림으로 표현한 것이로구나.'라는 것을 생각해 내고 너무 뿌듯해 했던 기억이 납니다. 그 이후 미술의 변천사에 대해서도 많은 관심을 갖게 되었습니다.

저의 큰 장점은 긍정적인 사고입니다. 그래서 늘 밝고 명랑하게 생활합니다. 선생님들께서도 행동이 활기차며 매사에 말씨와 행동에 붙임성이 있어 친구 관계가 매우 좋다고 말씀해 주십니다.

점심 시간을 이용하여 친구들과 야구를 종종 하는데 경기 결과에 상관없이 친구들과 어울리는 것 자체를 즐기려고 노력하고, 이런 긍정적이고 적극적인 사고 방식은 스트레스를 줄이고 제가 어떤 일이든 도전하는데 힘이 됩니다.

저의 단점은 조금 덜렁대고 종종 실수를 한다는 것입니다. 그래서 수학 시험에서 가끔 계산 실수를 합니다. 하지만 저는 그런 저의 단점을 알고 있기 때문에 문제를 다 푼 후에는 다시 한 번 검산해 보는 습관을 가지려고 노력해서 지금은 많이 좋아졌습니다.

저는 앞으로도 장점은 좀 더 개발하고 단점은 고치려고 노력할 것입니다.

👥 **면접시 예상질문**

Q1. 미술의 변천사에 관심을 갖게 되었다고 했는데, 그래서 어떻게 하였는지 이야기 해 보시오.

Q2. 자신에게 어려운 일이 닥친 사례 1가지를 말하고, 어떻게 극복했는지 말해 보시오.

Q2. 가정환경(부모 교육관), 자신의 장점 및 단점 등 본인을 소개하는 내용을 기술하시오.

Q3. 자신과 친구, 선생님과의 관계에 대해 기술하고, 가장 기억에 남는 봉사 활동을 선택하여 느꼈던 점을 기술하시오.

✏️ **기술 Point**

✔ 학교 생활은 친구 관계와 선생님과의 관계를 보여줄 수 있는 구체적인 사례를 들어서 쓰세요.

✔ 선생님께 칭찬을 받았던 경험이 있다면 선생님이 어떤 면을 칭찬해 주셨는지 구체적으로 쓰세요.

✔ 봉사 활동을 통해 느낀 점을 진솔하게 쓰세요.

저는 수업 시간에 적극적으로 참여하고 집중합니다. 또, 친구들과 의견을 나누며 함께 공부하는 것을 좋아합니다. 친구들은 종종 제가 수학 문제를 잘 풀고 설명을 잘해 준다며 질문을 하곤 합니다. 그때마다 친구들에게 도움을 주는 것도 보람 있지만, 저도 그 문제를 확실히 알게 되어 잊어버리지 않고, 때론 미처 몰랐던 사실을 깨닫기도 합니다. 그래서 나만의 수학 비법 노트를 만들었는데 친구들이 수학을 제일 잘한다고 인정해 주어 자연스럽게 친구들과 더 가까워졌고 자신감도 많이 생겼습니다.

저는 학급에서 반장입니다. 선생님께서는 저에게 리더십도 있고 유머 감각도 있어서 반 분위기를 좋게 만든다고 칭찬해 주십니다. 지난 운동회 때는 저희 반 친구들과 함께 응원 구호와 응원가를 재미있게 만들고 모두 함께 열심히 응원하여 응원상을 받기도 하였습니다.

저는 얼마 전 엄마, 아빠와 함께 전남 강진에 홍수로 인해 수해를 입은 곳에 갔습니다. 그곳에는 수해 복구를 위해 애쓰시는 많은 자원봉사자들이 있었습니다. 저는 집을 잃은 지역 주민들에게 점심을 드리는 자원봉사를 했습니다. 저는 반찬을 담아주는 일을 하였는데, 어린 꼬마 아이가 많이 배가 고팠는지 반찬도 몇 가지 되지 않았는데도 너무 맛있게 먹었습니다. 꼬마 아이는 집에 흙더미들로 가득차서 들어갈 수가 없다며 울먹였습니다. 저는 집에서 반찬 투정을 많이 해서 꾸중을 많이 들었는데 여기에 와서 보니 그동안 안락한 집에서 편안히 밥을 먹을 수 있다는 것에도 감사한 마음이 들었습니다.

이번 봉사 활동을 통해 어렵고 힘든 상황은 언제든 누구에게나 닥칠 수 있고 작은 힘이라도 조금씩 합치면 큰 힘이 되어 그 어려움을 함께 이겨낼 수 있다는 것을 배웠습니다. 봉사 활동을 하고 나니 몸은 피곤하고 힘들었는데, 처음으로 다른 사람들을 위해서 일을 했다는 것이 너무나 즐겁고 뿌듯했습니다. 앞으로 꾸준히 제가 할 수 있는 자원봉사 활동을 찾아 해야겠다고 결심하였습니다.

🎤 **면접시 예상질문**

Q1. 최근에 친구에게 설명한 문제 1개를 생각해 내어, 친구에게 어떻게 설명할지 설명해 보시오.

Q2. 앞으로 자신의 재능을 활용하여 봉사 활동을 한다면 어떤 것을 할 수 있다고 생각하는가?

Q3. 자신과 친구, 선생님과의 관계에 대해 기술하고, 가장 기억에 남는 봉사 활동을 선택하여 느꼈던 점을 기술하시오.

Q4. 수학에 흥미와 관심을 가지게 된 계기를 구체적으로 기술하시오.

📝 기술 Point

✔ 인상적인 1~2가지 경험을 구체적으로 제시하고 무엇을 했는지, 무엇을 느꼈는지, 추후에 어떤 영향을 끼쳤는지 일관성 있게 쓰세요.

✔ 꾸준히 활동을 해 오면서 느꼈던 보람과 기쁨 등 자신만이 느낄 수 있었던 감정도 표현해 보세요.

옥스퍼드대학교 마커스 사토이 교수님의 크리스마스 과학콘서트 강연을 들은 적이 있었습니다. 모두 4개 강의가 있었는데 게임의 승리 전략에 관한 강의가 제일 재미있었습니다. 특히, 초콜릿 20개를 한 번에 1개에서 3개까지 가져갈 수 있고 맨 마지막 20번째 초콜릿을 가져가야 승리하는 게임이 있었는데 교수님이 계속 이기셨습니다. 그 이유는 이 게임에는 거꾸로 생각하여 맨 마지막 20번째 초콜릿을 가져가기 위해서 16번째 초콜릿을 가져오면 된다는 승리 전략이 있었기 때문이었습니다.

평소에 승부욕이 강한 저는 그 이후에 수학 보드 게임을 할 때마다 항상 승리 전략을 고민하는 버릇이 생겼고 그 결과 친구들과 보드 게임을 하면 많이 이길 수 있었습니다. 이것을 계기로 수학이 좋아졌고, 어려운 수학 문제를 푸는 것도 즐기게 되었습니다.

어려운 수학 문제를 풀 때는 눈물이 날 정도로 안 풀리고 이해가 되지 않을 때도 있었지만, 그 문제를 꼭 해결하고야 말겠다는 생각으로 계속 집중하여 생각하다 보니 어느 순간 나만의 방법으로 안 풀리던 문제가 풀렸고, 그때의 기분은 말로 표현할 수 없을 정도로 기뻤습니다.

평상시에도 어떤 규칙이나 원리를 찾아내는 것을 좋아하는 저는 영재 학급 수업 중 하노이 탑의 규칙도 가장 빨리 찾아내기도 하였습니다.

저는 제 수학 실력이 어느 정도인지 점검해 보고 싶어서 도전했던 수학 경시 대회에서도 좋은 결과를 얻었고, 지금도 틈틈이 어려운 문제를 풀며 즐거움을 느끼곤 합니다.

🎤 면접시 예상질문

Q1. 수학 보드 게임을 1가지 말하고, 자기만의 승리 전략을 설명해 보시오.

Q2. 영재학급 수업에서 가장 기억에 남는 내용은 무엇인가?

Q4. 수학에 흥미와 관심을 가지게 된 계기를 구체적으로 기술하시오.

Q5. 교내(영재학급, 과학영재교육원 포함)에서 참가했던 수학 관련 대회 또는 활동 중 가장 인상 깊었던 과정과 그 내용을 기술하시오.

기술 Point

✔ 참가한 대회 또는 활동명을 적으면서 어떤 상을 수상했느냐 보다는 도전 과정을 비중 있게 쓰세요.

✔ 준비 과정에서 무엇을 느꼈는지, 그리고 어떤 새로운 것을 배웠는지 도전 과정에서 배운 것은 무엇인지 등을 쓰세요.

저는 골드버그 대회에 참가한 적이 있습니다.

과제는 구슬을 여러 가지 장치를 통해 이리 저리 움직이게 하여 결국은 목적지에 도달하게 하는 것이었습니다. 여기서는 창의적인 아이디어와 정해진 시간 안에 장치를 만들고 과제를 성공하는 것이 중요하였습니다.

우리 모둠에서는 어떤 장치들을 설치한 것인지 토의를 통해 설계도를 그리고, 1, 2, 3단계로 나눈 장치들을 둘씩 짝을 지어 만들어 마지막에 그 장치들을 서로 연결하였습니다.

처음에 다 같이 장치를 만들려고 할 때는 우왕좌왕 했는데 단계를 나누어 만드니 자신의 역할이 분명하여 빠르고 정확하게 만들 수 있었습니다.

또, 팀을 이루어 함께 만드니 더 좋은 아이디어들이 많이 나왔습니다.

장치를 모두 완성하고 설레고 떨리는 마음으로 장치를 작동했습니다. 구슬을 실에 매달아 불을 붙여 떨어뜨리는 것을 시작으로 기울어진 여러 막대와 빙글빙글 관을 통과한 후, 소형 자동차를 굴리고 볼링핀을 쓰러뜨려 목적지에 도달하게 하는데 성공하였습니다.

마지막에 볼링핀 하나가 아슬아슬하게 쓰러져 하마터면 실패할 뻔하여 얼마나 떨렸는지 모릅니다.

결국 우리 팀은 2등을 하였지만, 무척 보람되고 자랑스러웠습니다.

면접시 예상질문

Q1. 골드버그 대회에서 장치를 만들 때, 자신은 어떤 역할을 하였는가?

Q2. 이번에 만든 장치에서 부족한 점을 1가지 말하고, 어떻게 개선하면 좋을지 말해 보시오.

Q5. 교내(영재학급, 과학영재교육원 포함)에서 참가했던 수학 관련 대회 또는 활동 중 가장 인상 깊었던 과정과 그 내용을 기술하시오.

Q6. 수학과 관련된 내용을 학교에서 배울 때 가장 흥미로웠던 학습 주제를 소개하고, 그에 관하여 심화해서 배우거나 연구한다면 어떻게 학습할 것인지 간략한 학습 계획을 기술하시오.

✎ 기술 Point

✔ 흥미로웠던 학습 주제에 대해 흥미로웠던 이유와 알게 된 점들을 구체적으로 쓰세요.

✔ 학습 계획은 막연한 계획보다는 자신이 실천할 수 있는 방법으로 구체적으로 쓰세요.

학교 수학 시간에 테셀레이션에 대하여 배웠을 때 신기하고 재미있었습니다.

왜냐하면 무심코 지나쳤던 보도 블록, 벽면의 타일에도 수학의 원리가 들어 있었기 때문입니다. 또, 원, 오각형 등으로 벽면을 잘 꾸미지 않는 이유는 테셀레이션이 되지 않기 때문이라는 사실도 알 수 있었습니다.

특히 화가 에셔는 새, 나비, 말, 도마뱀 모양으로 테셀레이션 작품을 만들었는데, 너무 신기하였습니다. 선생님께서는 수업시간에 우리 반 친구들에게 테셀레이션 작품을 각자 만들어 보라고 하셨습니다. 그때 저는 삼각형과 육각형을 붙여 고깔 모자 쓴 행복한 삐에로 모양으로 테셀레이션을 완성하였고, 그것을 보신 선생님께서는 잘했다고 칭찬하시며 게시판에 전시를 해 주셨습니다. 또, EBS에서 알함브라 궁전을 본 적이 있습니다. 그 궁전은 아주 꼼꼼하고 세밀한 장식으로 궁전 곳곳이 테셀레이션 되어 있는데, 보는 사람들마다 모두 감탄할 정도로 아름다웠습니다. 저는 에셔의 테셀레이션 작품뿐만 아니라 세계 유명한 건축물들의 테셀레이션 작품에 관한 자료를 수집하고 각각의 테셀레이션 제작 원리를 탐구하여 나만의 새롭고 창의적인 테셀레이션 작품을 만들어 볼 것입니다.

🗣 면접시 예상질문

Q1. 테셀레이션을 할 수 있는 모양을 만든다면, 어떤 모양으로 만들겠는가? 왜 그렇게 생각했는가?

Q2. 수학이 실생활에서 왜 필요한지 설명해 보시오.

Q6. 수학과 관련된 내용을 학교에서 배울 때 가장 흥미로웠던 학습 주제를 소개하고, 그에 관하여 심화해서 배우거나 연구한다면 어떻게 학습할 것인지 간략한 학습 계획을 기술하시오.

Q7. 자신의 장래 희망을 기술하고, 장래 희망을 위해 어떻게 노력할 것인지 기술하시오.

✎ 기술 Point

✔ 자신의 미래의 목표를 뚜렷하게 쓰세요.

✔ 장래 희망을 갖게 된 이유와 그것을 이루기 위해 지금까지 해왔던 노력, 앞으로의 구체적인 학습 계획을 일관성 있게 쓰세요.

✔ 너무 어려운 용어나 거창한 내용, 막연한 내용을 쓰지 마세요.

✔ 미래에 자신의 재능으로 사회에 어떤 기여를 할 수 있는지 고민하여 함께 쓰세요.

앞으로 건축가가 되는 것이 저의 꿈입니다.

아름답고 멋진 건축물이 주변을 더욱 아름답게 만들고 그것을 보고 이용하는 사람들을 행복하게 할 수 있다고 생각하면 기분이 너무 좋습니다.

저는 건축가가 되기 위해서 ○○대 영재교육원에서 심화, 사사과정을 거쳐 영재 학교에 간 뒤 수학과 과학을 더 많이 공부하여 아름답고 튼튼하고 실용적인 건축물을 설계할 것입니다.

저는 건축가가 되기 위해 틈날 때마다 도서관에서 수학, 과학, 공학, 예술 등 여러 분야의 책, 기사, 잡지 등을 보며 여러 가지 공부를 하고 있습니다. 또, 그것에 대해 생각하고 이야기 하는 것을 좋아하며, 이해가 안 되거나 모르는 것이 있으면 부모님과 함께 이야기 하고 찾아봅니다. 또한 다양한 실험도 해 보고 세계 유명한 건축물을 보면서 그 속에 숨어 있는 수학적인 규칙을 찾아보고 수학 일기에 정리합니다.

요즘은 세계 각지에서 지진과 태풍 등 자연 재해가 종종 일어나 많은 사람들의 목숨을 위협하고 있습니다. 그래서 저는 지진, 태풍과 같은 자연 재해에도 건물을 안전하게 보호할 수 있는 내진 설계, 힘의 분산과 같은 물리적인 법칙도 공부하여 견고한 건축물을 만들 것입니다.

또, 세계에서 가장 견고하고 아름답고 다양한 기능이 있어 실용적인 최고의 명품 건축물도 설계할 것입니다.

❓ 면접시 예상질문

Q1. 건축가는 우리 사회에 어떤 부분에서 기여를 할 수 있다고 생각하는가?

Q2. 세계 유명한 건축물에서 발견한 수학적인 규칙을 1개 설명해 보시오.

Q7. 자신의 장래 희망을 기술하고, 장래 희망을 위해 어떻게 노력할 것인지 기술하시오.

Q8. 본인이 수학 영역에 지원하기 전까지 이 분야와 관련된 책 중 가장 많은 성취감을 얻은 도서 1권을 선정하고, 이 책을 통해 배운 내용 또는 영향 받은 내용을 기술하시오.

📝 기술 Point

✔ 느낌 없이 줄거리만 나열하지 마세요.

✔ 책을 읽고 느끼고 생각한 점, 깨달은 점, 본받을 점 등을 쓰세요.

✔ 앞으로 자신의 장래 희망과 학업 계획, 하고 싶은 일 등과 연결하여 써 보세요.

선정 도서 : 건축 속 재미있는 과학이야기

저자/역자 : 이재인

저는 이 책을 통해서 제 꿈에 대해서 많은 생각을 하게 되었습니다. 건축 속에 숨어 있는 과학적인 원리를 발견하여 설명해 줌과 동시에, 세계 유명한 건축물들을 예로 들어 역사와 함께 재미있게 설명하는 이 책은 세계에서 가장 견고하고 아름다운 건축물을 만들겠다는 나의 꿈에 한 발짝 더 가까이 가는 데 큰 도움을 주었습니다.

건축물은 단지 하나의 구조물에 불과한 것이 아니라 도시라는 전시장 안에 전시된 작품으로서의 역할뿐만 아니라 그 안의 사람들이 장기간 거주할 수 있는 기술이 필요하고, 주변 환경, 자연 환경과도 밀접한 관련이 있다는 사실을 알 수 있었습니다.

또한 바람, 소리, 진동, 빛, 열 등 제가 미처 생각하지 못한 많은 것들이 건축물을 설계할 때에는 고민되어야 한다는 사실을 알게 되었습니다.

저는 미래에 건축물을 설계할 때 수학과 과학의 원리를 이용하여 견고하고 다양한 기능을 가진 건축물을 설계할 것입니다.

❓ 면접시 예상질문

Q1. 읽은 내용 중 가장 인상 깊었던 내용은 무엇인가?

Q2. 자신이 미래에 설계할 건축물을 1개 정하고, 그 건축물을 설계할 때 가장 중요한 것은 무엇인지, 그것을 고려하여 어떻게 설계할 것인지 설명해 보시오.

Q8. 본인이 수학 영역에 지원하기 전까지 이 분야와 관련된 책 중 가장 많은 성취감을 얻은 도서 1권을 선정하고, 이 책을 통해 배운 내용 또는 영향 받은 내용을 기술하시오.

03 자기소개서 작성 후 체크 사항

자기소개서를 다 작성한 후에는 다음 사항들을 체크하며, 여러 번 읽어 보고 수정 보완합니다.

✔ 각 질문에 적합한 핵심 사항이 들어있습니까?

✔ 구체적인 사례를 들어 스토리 있게 작성했습니까?

✔ 자신을 설명하는 몇 가지의 키워드가 있고 그것들이 서로 연결되어 있습니까?

✔ 전체적으로 내용의 일관성이 있습니까?

✔ 전체적으로 글이 매끄럽게 읽혀집니까?

✔ 제시된 〈자기소개서 작성시 주의 사항〉을 잘 지켜 작성했습니까?

✔ 문체가 통일되어 있습니까?

✔ 띄어쓰기와 맞춤법이 틀린 곳은 없습니까?

memo

2단계는 영재 담당 선생님이 담임 선생님으로부터 추천 받은 학생의 영재성을 파악하기 위해 담임 선생님과 수시로 대화, 면담을 통해 학생에 대한 의견을 수집·분석하며 영재성 진단 도구(영재성 검사, 창의적 문제해결력 검사) 등을 활용하여 학생의 영재성을 평가합니다.

(1) 관찰추천위원회가 학생의 수업 태도 및 수행 과제 점검
(2) 창의력, 문제해결력, 리더십, 봉사정신, 타인과의 의사소통 능력 등 잠재 역량과 성장 가능성을 다면적으로 면밀히 검토하여 평가

시 기	일 정	내 용	자 료
10월	행동 특성 체크리스트	• 영재 행동 특성 검사, 창의성 검사, 과제 동기 행동 검사, 리더십 특성 검사, 특수학업 적성 검사	선발도구 2-1 ~ 선발도구 2-5
	영재성 여부 판단	• 영재성 검사 • 창의적 문제해결력 검사	
	영재교육 대상자 최종 추천	• 학교추천위원은 각종 평가 및 체크리스트의 점수를 합산한 후 환산하여 단위학교 영재교육 추천 학생 최종 선정	

단계

2

관찰 대상자
집중 관찰

Part 1 | 영재성 검사   Part 2 | 창의적 문제해결력 검사

1. 영재 행동 특성 검사　선발도구 2-1

영재 행동 특성 검사

(　　)학년 (　　)반　이름 : _____

※ 학생의 평소 행동 특성을 가장 잘 나타낸다고 생각되는 곳에 ✔표 해 주십시오.

행동 특성	미흡		보통		우수	
	1	2	3	4	5	6
1. 높은 수준의 어휘를 사용하고 깊이 있는 사고를 할 줄 한다.						
2. 새로운 정보에 대한 이해가 빠르다.						
3. 관심 영역에 대해 많은 정보를 가지고 있다.						
4. 관심 분야에 대하여 호기심을 가지고 적극적으로 사고하고 탐구한다.						
5. 상황에 대하여 정확하고 비판적으로 판단할 줄 안다.						
6. 어떤 상황이나 현상에 대해 인과 관계를 빨리 파악한다.						
7. 오랫동안 한 가지 일에 지속적으로 집중한다.						
8. 사실적인 정보에 대한 기억력이 우수하고 숙달하는 속도가 빠르다.						
9. 혼자서 독립적으로 학습하기를 좋아한다.						
10. 구조화되지 않은 융통성 있는 과제를 해결하기 좋아한다.						
11. 감각(시각, 청각, 촉각, 신체·운동적)을 활용해서 학습하기를 좋아한다.						
12. 높은 자존감을 가지고 독립적으로 의사결정 하기를 좋아한다.						
13. 성패에 상관없이 스스로 문제를 해결하고 그 결과에 책임을 진다.						
14. 사회 정의에 관심을 가지고 다른 사람의 상황에 대해서 이해하려고 한다.						
15. 새로운 상황에 도전하기를 좋아하고 변화를 두려워하지 않는다.						
16. 어떤 문제에 대해서 유머 감각을 가지고 즐겁게 접근하는 자세를 보인다.						
17. 상상력이 풍부하고 공상하기를 좋아한다.						
18. 독창적인 방식으로 문제를 해결하는 능력이 뛰어나다.						
19. 다른 아동들이 도움을 요청한다.						
20. 규칙을 만들고 집단 활동을 이끈다.						

소계	
총합	

2. 창의성 검사 선발도구 2-2

창의성 검사

( )학년 ( )반 이름 : _____

※ 학생의 평소 행동 특성을 가장 잘 나타낸다고 생각되는 곳에 ✔표 해 주십시오.

행동 특성	미흡		보통		우수	
	1	2	3	4	5	6
1. OO는 처음 보는 물건을 보면 그것이 어떻게 작동하는지 알고 싶어한다.						
2. OO는 혼자 있을 때 무슨 일을 해야 할지 스스로 알아서 한다.						
3. OO는 엉뚱한 말로 주위 사람들을 잘 웃기곤 한다.						
4. OO는 모르는 문제가 있으면 그것을 알 때까지 파고든다.						
5. OO는 종종 게임의 규칙을 바꾸는 것도 잘 받아들인다.						
6. OO는 궁금한 것이 많다.						
7. OO는 다른 나라 친구와 사귀고 싶어한다.						
8. 비록 실패하거나 잘못할지라도, OO는 정말 하고 싶은 일이면 도전한다.						
9. OO는 자신의 능력을 믿으며 스스로를 자랑스럽게 여긴다.						
10. OO는 쉬운 문제보다는 어려운 문제를 더 좋아한다.						
11. OO는 한 번 마음먹은 일은 어떤 어려움이 있더라도 끝까지 해내고 만다.						
12. OO는 유머감각이 꽤 있다.						
13. OO는 더 나은 생각이나 아이디어라고 생각되면 곧 받아들인다.						
14. OO는 '만약 ~라면 어떻게 될까?'라는 생각을 자주 한다.						
15. OO는 남들이 당연하게 보는 것도 그냥 지나치지 않고 의문을 갖는다.						
16. OO는 자신의 커다란 꿈이나 희망을 이룰 자신감이 있다.						
17. OO는 다른 사람들이 뭐라고 해도 스스로를 믿는다.						
18. OO는 이야기 속의 주인공이 되어 상상해 보기를 좋아한다.						
19. OO는 '옛날에는 어떻게 살았을까?'라는 생각을 자주 한다.						
20. 친구들은 OO의 행동이나 말에 대해 재미있어 한다.						

소계						
총합						

3. 과제 동기 행동 검사 선발도구 2-3

과제 동기 행동 검사

( )학년 ( )반 이름 : _____

※ 학생의 평소 행동 특성을 가장 잘 나타낸다고 생각되는 곳에 ✔표 해 주십시오.

행동 특성	미흡		보통		우수	
	1	2	3	4	5	6
1. 어떤 일을 할 때 일이 제대로 될 때까지 끝까지 매달린다.						
2. 과제를 할 때 너무 집중해서 다른 일들을 잊어버리기도 한다.						
3. 자신에 대한 기대치가 높은 편이다.						
4. 자기가 한 일을 끊임없이 평가한다.						
5. 다양한 분야에 흥미를 가지고 있다.						
6. 상황이나 사건의 분위기를 알아차리고 잘 적응한다.						
7. 새로운 내용과 이미 알고 있는 것과 관련성을 잘 찾는다.						
8. 이해하지 못한 채 그냥 외우지 않는다.						
9. 쉬운 문제보다 어려운 문제에 집중한다.						
10. 수학(과학)을 공부하는 것은 나에게 중요한 의미를 지닌다.						
11. 집중하기 위해 주위의 환경을 변화시킨다.						
12. 모르는 것이 있으면 주변사람에게 묻는 것이 어색하지 않다.						
13. 스스로 해결하지 못하면 주변사람의 도움을 받아 해결한다.						
14. 화를 잘 내고 민감한 편이다.						
15. 어떤 일이 잘못되더라도 실망하지 않고 다시 시작한다.						
16. 빠른 시간 내에 문제의 핵심에 주의력을 집중한다.						
17. 계획하는 것을 좋아하고 오랫동안 실천할 수 있다.						
18. 다른 사람에게 자신의 생각을 표현하는 것을 두려워하지 않는다.						
19. 위험한 일이나 흥분되는 일을 시도한다.						
20. 완벽하려고 애쓴다.						
소계						
총합						

4. 리더십 특성 검사 선발도구 2-4

리더십 특성 검사

( )학년 ( )반 이름 : _____

※ 학생의 평소 행동 특성을 가장 잘 나타낸다고 생각되는 곳에 ✔표 해 주십시오.

행동 특성	미흡		보통		우수	
	1	2	3	4	5	6
1. OO는 자신의 능력을 믿으며 스스로를 자랑스럽게 여긴다.						
2. OO는 계획을 세우면, 계획대로 추진해 나간다.						
3. OO는 여러 가지 대안들 중 적절한 것을 잘 선택한다.						
4. OO는 불이익이 되더라도 사람들과 약속한 것은 지킨다.						
5. OO는 현재의 상황에서 할 수 있는 최선을 다해 맡은 일을 해낸다.						
6. OO는 자신의 생각을 다른 사람에게 분명하고 조리 있게 말할 수 있다.						
7. OO는 그룹 활동을 할 때 다른 사람들과 뜻을 잘 맞추면서 한다.						
8. OO는 누가 감독하지 않아도 최선을 다해 해야 할 일들을 한다.						
9. OO는 일을 행할 때 각 구성원에게 책임을 적절하게 맡기는 편이다.						
10. OO가 제시한 의견을 다른 사람들이 잘 받아들인다.						
11. OO는 다른 사람의 의견을 들을 때 그 사람의 입장을 이해하려고 노력한다.						
12. OO는 아무리 친한 사이라도 잘못한 것은 잘못했다고 지적한다.						
13. OO는 아무리 원하는 일이라도 수단과 방법이 옳지 않으면 하지 않는다.						
14. OO는 본인이 느끼는 바를 말로 잘 표현하는 편이다.						
15. OO는 그룹 활동을 할 때 알고 있는 지식이나 정보를 친구들과 공유한다.						
16. OO는 친구들의 자신감을 북돋워준다.						
17. OO는 어떤 일에 궁금함을 잘 느낀다.						
18. OO는 자신의 능력 계발을 위해 계획을 세우고 실천하고 있다.						
19. OO는 새로운 것을 접하면 그것이 무엇인가 알기 위해 관련 정보를 찾아본다.						
20. OO는 다른 사람들에게 도움이 되는 일을 하면서 살고 싶어 한다.						
소계						
총합						

5. 특수 학업 적성 검사 선발도구 2-5

특수 학업 적성 검사

(   )학년 (   )반 이름 : _____

※ 학생의 평소 행동 특성을 가장 잘 나타낸다고 생각되는 곳에 ✔표 해 주십시오.

행동 특성	미흡		보통		우수	
	1	2	3	4	5	6
1. 도전적인 수학 퍼즐, 게임 및 논리 문제를 좋아한다.						
2. 수학의 패턴을 파악하기 위해 자료나 정보를 잘 조직한다.						
3. 창의적인 방식으로 수학 문제를 해결한다.						
4. 문제에서 수학적 구조를 분석하는데 흥미를 가지고 있다.						
5. 새롭고 어려운 수학 문제를 해결하는데 도전의식을 가지고 있다.						
6. 수학 공식이나 개념을 이해하는 속도가 또래보다 빠르다.						
7. 수학적 언어(용어, 기호, 수식, 그림 등)를 유창하게 사용한다.						
8. 수학 문제를 해결할 때 적절하거나 필요하다면 쉽게 전략을 바꾼다.						
9. 구체적인 자료의 도움이나 조작 없이도 추상적으로 수학 문제를 해결한다.						
10. 수학적 감각이 뛰어나다.(예 큰 수와 작은 수를 감지하고 쉽게 연상함)						
소계						
총합						

※ 일화 기록 (3건 이상)

순번	관찰 내용
1	
2	
3	

Part 1

영재성 검사

창의성 ·· P. 052

언어적 사고력 ··· P. 084

수리적 사고력 ··· P. 108

공간지각적 사고력 ·· P. 132

 전략 Point

> **상징 그림 그리기**는 글을 그림과 기호로 표현하는 것입니다.

❶ 글을 그림과 기호로 표현할 때에는 다른 사람이 쉽게 알아볼 수 있어야 합니다.

예 문 : ⬚　　안경 : 👓　　교회 : 　　물구나무서기 : 🙃

❷ 주어진 글 중에서 그림으로 표현 가능한 부분을 최대한 많이 표현합니다.

❸ 상징은 자기만의 독특한 방법으로 표현하도록 합니다.

예 마음을 단순히 하트로 그리기 보다는 하트 안에 ○, × 표시를 하여 마음의 이중 성도 표현한 경우

오른쪽 그림은 '뛰지 마세요.'라는 뜻의 표지판입니다. 다음 주어진 글의 내용이 가장 잘 전달되도록 표지판을 여러 가지 그려 보시오. **기출 문제**

선생님 질문 있어요.

자료는 컴퓨터로 찾으시오.

복도에서 왼쪽으로 가시오.

친구들과 만나면 먼저 인사합시다.

2
——
단계

영재성
검사

창의적 문제
해결력 검사

관련 사고 능력	점수
유창성 (8점) / 독창성 (2점)	10점

친구의 답안을 어떻게 채점하였는지 살펴봅시다.

선생님 질문 있어요.

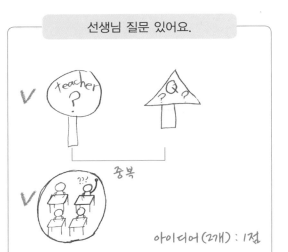

자료는 컴퓨터로 찾으시오.

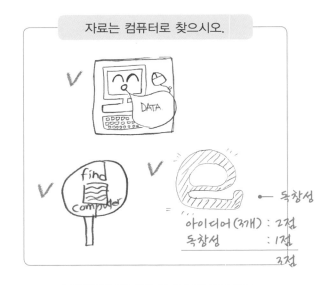

복도에서 왼쪽으로 가시오.

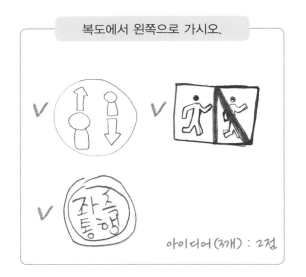

친구들과 만나면 먼저 인사합시다.

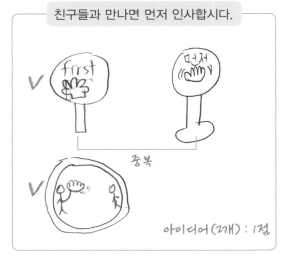

채점 POINT

❶ 표지판은 최소한의 표현 요소로 누구나 이해하기 쉬운 그림이어야 합니다.

❷ '선생님 질문 있어요.'에서와 같이 중복된 표현이 있는 경우에는 1개의 아이디어로 생각합니다.

❸ 독창적인 방법으로 표지판을 표현한 경우에는 독창성 점수를 받을 수 있습니다.

❹ 아이디어의 개수에 따라 문항별로 각각 채점합니다.

아이디어의 개수	점수
1 ~ 2개	1점
3개 이상	2점

연습|01 다음 표지판의 뜻을 적고, 그 이유를 설명하시오.

표지판	뜻	이유

연습|02 다음 보기와 같이 문장을 글과 그림이 어우러진 독창적인 문장으로 만들어 보시오.

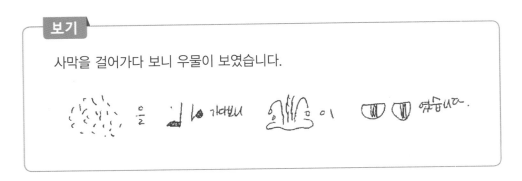

보기

사막을 걸어가다 보니 우물이 보였습니다.

(1) 옛날에 한 포수가 친구와 통나무배를 타고 강을 건너서 숲으로 새를 잡으러 갔습니다.

(2) 바람이 아주 심하게 불어서 포수의 모자가 날아가 버렸습니다.

연습 | 03 다음은 용이가 쓴 일기입니다. 용이의 일기를 글과 그림이 어우러진 독창적인 문장으로 만들어 보시오.

2010년   9월   22일   날씨 : 맑음

오늘 꿈 속에서 내가 해적 왕이 되어 바다 괴물과 싸워 이겼다.

그리고 배를 타고 온 바다를 돌아다니다가 바위에 부딪혀서 배가 부서졌다.

나는 바다에 빠져 허우적 거리다가 놀라서 깨어 보니 이불에 지도가 그려져 있었다.

그래서 엄마에게 꾸중을 들었다.

↓

_____

_____

_____

_____

_____

_____

_____

2
단계

영재성
검사

창의적 문제
해결력 검사

실전01 다음의 낱말을 독창적인 그림으로 표현해 보시오.

잔소리

지각

마음

고마움

질투

그리움

실전 02 선에 감정을 넣으면 매우 다양한 선이 탄생합니다. 다음 빈칸에 여러 가지 종류의 선을 독창적으로 그려 보시오.

긴 선	
굵은 선	
지그재그 선	
부드러운 선	
지우개로 지운 선	
음악적인 선	
손이 있는 선	
광선	

2

단계

영재성
검사

창의적 문제
해결력 검사

발명하기는 서로 관련이 없거나 전혀 다른 두 물건을 사용하여, 남들이 쉽게 생각하지 못하는 새로운 물건을 만드는 것입니다.

❶ 아이디어 개수로 점수를 얻습니다.

❷ 외형적인 특징을 단순히 결합하는 것보다 기능적인 면과 감정적인 면의 특징을 결합하여 새로운 물건을 만들면 보너스 점수를 얻을 수 있습니다.

예 모래와 자석 이용 : 종이 밑에 자석을 여러 군데 붙인 후, 모래를 뿌려 미술 작품을 만든다. (기능적인 면 결합)

❸ 독창적인 것이 포함되어 있으면 보너스 점수를 얻을 수 있습니다.

❹ 아이디어가 어느 정도 현실적으로 가능한 것이어야 합니다.

스케이트와 바퀴는 전혀 관계없는 물건이지만 둘을 합치면 인라인 스케이트가 됩니다.
이처럼 전혀 상관없는 물건 두 가지를 합쳐 새로운 물건을 발명하고, 재미있는 이름을 붙여
보시오. 또, 그 쓰임새도 적어 보시오. 기출 문제

물건1	물건2	발명품 이름	쓰임새

2
단계

영재성
검사

창의적 문제
해결력 검사

친구 답안

친구의 답안을 어떻게 채점하였는지 살펴봅시다.

물건1	물건2	발명품 이름	쓰임새
✓ 그릇	가스레인지	그릇만으로 요리하기	그릇 자체가 뜨거워지기도 하고, 차가워지거도 해서, 그릇만으로도 요리를 할 수 있다.
✓ 연필	매니큐어	내 맘대로 네일아트	연필심 대신 굳은 매니큐어액을 연필속에 넣어서, 연필로 손톱에 그리는 대로 네일아트가 되도록 한다. 지우개로 지울수도 있다. ← 독창성
✓ 시계	운동화	트레이너운동화	정해진 시간만큼은 계속 움직여서 신은 사람이 운동을 할 수 밖에 없도록 만들어 준다.
✓ 자판기	옷장	코디네이터 옷장	옷장을 다 뒤져 보지 않더라도, 옷장에 무슨 옷이 들어있는지 보여주는 옷장. 그리고 입고 싶은 옷을 누르면, 그 옷이 준비되어 나온다. ← 독창성
✓ 안경	카메라	사진기 안경	일부러 카메라를 꺼낼 필요없이 안경에 있는 버튼을 눌러서 사진을 찍는다.
✓ 신발	히터	보온 신발	겨울 또는 추운 지방에서 이 신발을 신으면 신발에서 히터가 나와 발을 따뜻하게 해준다.

아이디어(6개) : 3점
독창성   : 2점
            5점

> **채점 POINT**
>
> ❶ 두 물건의 외형적인 특징과 일반적인 기능을 이용하여 다양한 새로운 물건을 만들었습니다. 그리고 두 물건의 기능적인 특징의 결합으로 새로운 물건을 만들어 독창성 부분에서도 보너스 점수를 얻을 수 있었습니다.
>
> | 아이디어의 개수 | 점수 |
> | --- | --- |
> | 1 ~ 2개 | 1점 |
> | 3 ~ 4개 | 2점 |
> | 5개 이상 | 3점 |
>
> ❷ 아이디어의 개수에 따라 채점합니다.

연습|01 우산과 휴대폰을 함께 사용해서 새로운 물건을 만들어 봅시다.

우산   휴대폰

(1) 우산과 휴대폰은 어떤 부품으로 이루어져 있는지 적고, 그 부품은 어떤 재료로 만들었는지 적어 보시오.

우산		
부품	모양	재료

휴대폰		
부품	모양	재료

(2) 각 물건의 부품, 재료, 모양을 변형시켜서 새로운 물건을 다양하게 만들어 보시오.

2
단계

영재성
검사

창의적 문제
해결력 검사

연습|02 우리 주변의 발명품들은 여러 가지 방법으로 개발되었습니다. 다음 기준에 따라 개발된 신제품을 알아보시오.

기준	기존 제품	변화	신제품
불편한 점 개선	고무장갑	미끄러운 불편 개선	돌기 달린 고무장갑
	여닫이문	손으로 여닫는 불편 개선	
빼기	주스	당분 빼기	무가당 주스
	전화기	전화선 빼기	
반대로 하기	화장품 용기	반대로 생각	거꾸로 세운 화장품 용기
	양말	반대로 생각	
크게 하기	그네	크게 하기	바이킹
	바람개비	크게 하기	
고정된 것 움직이기	선풍기	움직이게 하기	좌우회전 선풍기
	세면대	움직이게 하기	

연습|03 하루에 5분 동안 지구에 공기가 없어진다면 어떤 신제품이 필요할지 여러 가지를 생각해서 그리고, 그 신제품의 이름과 기능을 설명해 보시오.

그림	이름	기능

실전 01 100년 후 지구온난화로 인해 화성으로 가서 살게 되었습니다. 다음 도형을 이용하여 화성에서 필요한 발명품을 여러 가지 만들어 보시오. 기출 문제

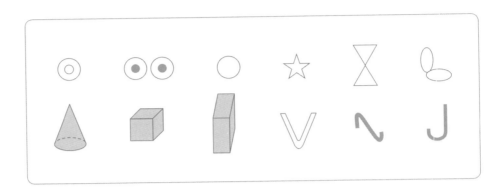

그림	이름	설명

실전02 사람들은 다른 동식물의 특성을 살려서 새로운 물건을 만들어 내어 생활을 편리하게 발전시키고 있습니다. 자연물의 유익한 점을 자세히 관찰하여 자연물을 모방하는 방법으로 만든 발명품을 찾아보고, 어떤 동식물의 특징을 이용하였는지 설명하시오. (**예** 잠수부 오리발 ➡ 개구리 물갈퀴 (물을 뒤로 많이 보낼 수 있는 물갈퀴 응용)

①

②

③

④

⑤

⑥

⑦

⑧

⑨

⑩

2

단계

영재성
검사

창의적 문제
해결력 검사

창의성 ③ 프로젝트 해결하기

프로젝트 해결하기는 주어진 문제를 해결하기 위하여 고려해야 될 사항을 다각적으로 검토하여 합리적인 해결 방안을 찾는 것입니다.

❶ 프로젝트의 목적에 맞게 해결 방안을 찾아야 합니다.

❷ 고려해야 될 사항은 주어진 상황, 다른 사람의 입장, 일어날 수 있는 가상의 상황 등에서 고려해 보아야 합니다.

❸ 독창적인 해결 방안이 포함되어 있으면 보너스 점수를 얻을 수 있습니다.

❹ 해결 방법이 합리적이고 어느 정도 현실적으로 가능한 것이어야 합니다.

3명의 학생이 부모님이 계시지 않는 친구를 돕기 위해 매일 2시간씩 샌드위치 장사를 하려고 합니다. 이때 고려해야 할 점을 많이 쓰고, 중요한 순서대로 쓰시오. 기출 문제

고려해야 할 점

중요한 순서와 그 이유

친구의 답안을 어떻게 채점하였는지 살펴봅시다.

고려해야 할 점

아이디어 7개

① 배고픈 시간대로 시간을 정한다.
② 사람들이 많이 다니거나 붐비는 장소로 한다.
③ 사람들이 선호하는 속 재료나 음식으로 만든다.
④ 많은 메뉴로 해서 사람들이 여러가지를 맛볼 수 있게 한다.
⑤ 샌드위치 판매대에 부모님이 계시지 않는 친구를 5의 달라는 용돈함을 가져다 놓는다. 독창성
⑥ 샌드위치와 같이 먹을수 있는 다른 메뉴를 개발한다 독창성
⑦ 들고 다니기 쉽도록 한다

중요한 순서와 그 이유

② → ① → ④ → ③ → ⑥ → ⑦ → ⑤

유창성 2점

원, 사람들이 붐비는 곳에서 팔아야 잘 팔리고 배고픈 시간대여야 잘 사먹고, 여러가지 메뉴가 있으면 냄새도 다 즐길 수 있으며 사람들이 좋아하는 음식이면 잘사고 샌드위치와 같이 먹을 음료나 다른것도 좋고 들고 다니면 바쁜 사람도 사먹을 수 있으며 판매대에 용돈함을 두면 더 소득을 얻을 수 있기 때문이다.

아이디어(7개) : 2점
(중요한 순서) : 2점
독창성 : 2점
─────────
6점

채점 POINT

❶ 일이 어떻게 진행될 것인지 시간의 진행에 따라 하나하나 빠짐없이 생각해 보아야 합니다. 그러나 이 답안은 많은 부분에서 고려해 보아야 하는 내용들을 놓치고 있습니다. 예를 들어, 학생 3명이 샌드위치 장사를 할 수 있는지의 가능성과 각자의 역할 분담 등입니다.

❷ 일의 중요한 순서는 샌드위치 장사를 하기 위해 반드시 생각해야 하는 내용부터 차례대로 적어야 합니다. 그 다음이 장사를 해서 많은 돈을 모으는 것입니다.

예 부모님의 동의, 비용 등의 문제가 해결되지 않으면 샌드위치 장사를 할 수 없으므로 다른 계획들은 무용지물이 됩니다.

아이디어의 개수	점수
1 ~ 5개	1점
6 ~ 10개	2점
11 ~ 15개	3점
16개 이상	4점

❸ 아이디어의 개수에 따라 채점합니다.

연습|01   집을 지으려고 합니다. 이때 고려해야 할 점을 쓰고, 중요한 순서와 이유를 쓰시오.

고려해야 할 점

중요한 순서와 그 이유

연습 **02** 우리 반에서 부모님들을 초대하여 우리가 공부하는 모습을 보여 드리는 학습발표회를 하려고 합니다. 재미있고, 의미있는 행사가 되도록 계획해 보시오.

중요한 일들	구체적인 계획

연습|03 A 회사의 MP3플레이어를 사려고 합니다. 부모님께 자기가 선택한 MP3플레이어를 왜 사야 하는지 설득해 보시오.

	A회사	B회사
가격	비싸다.	싸다.
A/S	서비스 센터가 많다.	서비스 센타가 적다.
디자인	촌스럽다.	세련되었다.
성능	용량이 크다.	용량이 작다.

(1) 자기가 중요하게 생각하는 중요도에 따라 1점에서 5점까지 점수를 매겨 보시오.

	중요도	A회사	B회사
가격			
A/S			
디자인			
성능			
선호도 합계			

(2) 위의 (1)에서 작성한 내용을 바탕으로 부모님을 설득해 보시오.

실전 01 다음은 강화도와 그 주변 섬의 관광지 및 유적지 정보가 담겨 있는 지도입니다.

강화도 정보

강화는 여러 차례 국난을 겪는 동안 한때 40년간 나라의 수도 역할을 담당했고, 단군 왕검의 역사적 신화가 깃들인 참성단 등 숱한 역사적 유물과 유적들로 가득 차 있습니다.

국가 지정 문화재로 오층석탑과 강화동종, 정수사 법당, 전등사 대웅전, 전등사 약사전, 전등사 범종, 석조여래입상, 철아미타불좌상 등 보물이 있으며, 국가 지정 사적으로는 삼랑성, 강화산성, 고려궁지, 참성단, 지석묘, 홍릉, 초지진, 덕진진, 광성보, 선원사지, 갑곶돈대, 석릉, 가릉, 곤릉, 성공회 강화 성당, 강화성 등이 있습니다.

천연기념물로는 갑곶리 탱자나무와 사기리 탱자나무, 서도 은행나무, 강화 갯벌 및 저어새 번식지 등이 국가 지정 문화재로 지정되어 있고, 강화 갯벌은 관광 상품으로 개발할 만한 좋은 관광 자원입니다.

(1) 강화도 주변으로 체험 학습을 가려고 합니다. 체험 학습 목표를 세워 보시오.

체험 학습 목표

(2) 체험 학습으로 가 보고 싶은 곳 5곳을 정하고, 그 이유를 설명하시오.

가 보고 싶은 5곳과 이유

(3) 체험 학습으로 가 보고 싶은 곳 5곳을 정하고, 그 이유를 설명하시오.

순서

고려해야 할 점과 그 이유

창의성 ④ 창의적 사고 기법

 전략 Point

창의적 사고 기법은 문제를 창의적으로 해결하는 데 필요한 여러 해결책과 대안을 찾고, 그 중에서 실현 가능한 것을 찾는 힘을 길러주는 사고 기법입니다.

창의적 사고 기법에는

❶ 개인 기법인 스캠퍼 기법, 마인드맵, PMI 기법, 강제결합법 등이 있고,

❷ 단체 기법인 브레인 스토밍, 육색 사고 모자, 브레인 라이팅 등이 있습니다.

사고 기법		방법
개인 기법	스캠퍼 기법	열 개의 사고 과정을 목록으로 작성하여 아이디어를 창출
	마인드맵	자연스런 사고의 연상을 깨뜨리지 않으면서 떠오르는 아이디어를 기록
	PMI기법	주어진 소재, 상황, 방법 등에 대해 장점, 단점, 흥미로운 점에 대해 비교하여 아이디어를 창출
	강제결합법	전혀 관계가 없어 보이는 두 가지 이상의 아이디어나 사물을 억지로 관련시켜 아이디어를 산출
단체 기법	브레인 스토밍	스스로 생각할 수 있는 아이디어를 가능한 많이 찾고, 서로의 아이디어로부터 새로운 아이디어를 창출
	육색 사고 모자	여섯 가지 모자 색깔이 나타내는 유형으로 각자 역할을 나누어 아이디어를 검토하고 창출
	브레인 라이팅	종이에 아이디어를 기록하여 옆사람에게 돌리면 옆사람이 다시 그 아이디어에 새로운 아이디어를 추가하는 방식으로 종이를 돌리며 아이디어를 창출

2단계 – 관찰 대상자 집중 관찰

휴대폰은 액정 하나만 바꿔도 예쁘게 바뀔 수 있습니다. 다음 7가지 기준에 따라 휴대폰을 바꿔 봅시다. 기출 문제

기준	휴대폰 이름	그렇게 만든 이유
1. 다른 물건과의 결합		
2. 휴대폰의 기능 수정		
3. 휴대폰 크기, 길이 확대		
4. 휴대폰 크기, 길이 축소		
5. 다른 용도로의 활용		
6. 휴대폰의 기능 제거		
7. 휴대폰의 모양 재배열		

2
단계

영재성
검사

창의적 문제
해결력 검사

친구 답안

친구의 답안을 어떻게 채점하였는지 살펴봅시다.

기준	휴대폰 이름	그렇게 만든 이유
✔ 1. 다른 물건과의 결합	확성기 폰	밀소리를 크게 내야 하는 경우, 소리를 안질러도됨. 현장학습, 소풍 때 선생님들이 사용.
✔ 2. 휴대폰의 기능 수정	번역 휴대폰	외국인과 문자할때, 외국인은 한국어를 잘모르기 때문에 어려울수 있다. 따라서 문자를 보내면 번역되는 휴대폰을 만들었다
✔ 3. 휴대폰 크기, 길이 확대	액자 폰 (액정 크기 확대)	가족들의 영상을 장식할수 있다. 또 여러사람이 동시에 화상 회의를 할수 있다. (멀리있는 사람과도 회의할수 있다.)
✔ 4. 휴대폰 크기, 길이 축소	반지 폰	반지처럼 끼고 다니면 잃어 버리지 않고, 떨어져 망가지지 않는다.
5. 다른 용도로의 활용	다오게이 폰	리모콘과 휴대폰을 결합하여 휴대폰으로 TV, 라디오, 집의 가스렌지, 전등 빛일려 등을 작동시킴.
6. 휴대폰의 기능 제거	음성인식 휴대폰 (문자판, 번호판 제거)	휴대폰이 음성을 인식하여 문자를 쓰고 번호를 누를수 있기때문에 문자판이 없어도된다. (확인, 화살표 버튼만 있으면 됨)
✔ 7. 휴대폰의 모양 재배열	내맘대로 폰	휴대폰의 번호판을 자기마음대로 바꿀수 있으면 많이 쓰는 번호를 누르기 편한 위치로 바꿀수 있다.

현재 개발된 휴대폰과 유사

아이디어(5개) : 3점

채점 POINT

❶ 스캠프 기법에 따라 창의적 아이디어를 잘 찾았습니다. 그러나 현재 개발되어 있는 휴대폰과 유사하거나 현실적으로 불가능한 경우에는 아이디어로 평가받지 못합니다.

❷ 아이디어의 개수에 따라 채점합니다.

아이디어의 개수	점수
1 ~ 2개	1점
3개	2점
4 ~ 5개	3점
6개	4점
7개 이상	5점

강의 Note

스캠퍼 (SCAMPER)

스캠퍼 기법은 열 개의 사고 과정을 목록으로 작성한 뒤 그 목록에 대한 내용을 점검하여 기록함으로써 개선되고 종합된 아이디어를 창출하는 창의적 사고 기법입니다.

예 다음 기준에 따라 편리한 우산을 만들어 보시오.

목록	세부 사항	생각하고 적기
대체하기(Substitute)	기능, 재료, 부품, 아이디어를 다른 것으로 바꿀 수 있는 것은?	천을 투명한 비닐로 손잡이를 부드러운 나무로 대체한다.
결합하기(Combine)	다르거나 비슷한 물건, 부품, 아이디어를 합쳐 보면?	우산에 전등을 결합하여 밤에도 잘 보도록 한다.
적용하기(Adapt)	다른 아이디어, 기능, 기구, 부품을 알맞게 변화시켜 적용하면?	우산을 접었을 때는 지팡이가 되도록 우산 끝을 지팡이의 끝과 같이 한다.
수정하기(Modify)	주제의 모든 것을 다르게 바꾸면?	
크게하기(Magnify)	주제의 모든 것을 크게 바꾸면?	비를 맞지 않도록 우산을 크게 한다.
작게하기(Minify)	주제의 모든 것을 작게 바꾸면?	2단 우산, 3단 우산을 만든다.
용도 변경하기 (Put to other uses)	주제의 기능이나 물건의 일부 또는 전부를 다른 용도로 바꾸면?	우산 안에 별과 별자리를 표시하여 별자리 보기판으로 사용한다.
제거하기(Eliminate)	주제의 기능이나 물건의 일부를 빼면?	우산 끝의 구부러진 것을 제거하고 일자로 만든다.
재배열하기(Rearrange)	작동 방법, 제작 방법 등의 순서나 부품의 위치를 바꾸어 보면?	
거꾸로하기(Reverse)	모양, 위치, 사용하는 곳, 작동 방법 등을 거꾸로 하면?	

⬇ 통합 및 정리

개선되고 종합된 아이디어	전등을 달아 밤에도 잘 보이고 접었을 때 지팡이로 사용할 수 있는 우산

2
단계
영재성
검사

창의적 문제
해결력 검사

실전 **01** 교실 앞 칠판의 좋은 점과 불편한 점, 그리고 그 불편한 점을 해결할 수 있는 재미있고 새로운 생각을 적으시오. 기출문제

> **좋은 점**

> **불편한 점**

> **재미있고 새로운 생각**

강의 Note

PMI기법 (좋은 점, 나쁜 점, 흥미로운 점 찾기)

PMI 기법은 제시된 주제에 대하여 좋은 점(P – Plus), 나쁜 점(M – Minus), 흥미롭게 생각되는 점(I – Interesting) 등을 생각해 봄으로써 의사결정을 보다 비판적 · 체계적으로 내리기 위한 창의적 사고 기법입니다.

예 다음 문제 상황에서 좋은 점과 나쁜 점, 흥미로운 점을 찾아보고, 이익이 되는 해결점을 찾아보시오.

> 만약 화석연료를 모두 다 소비하였다면 어떻게 될까요?

좋은 점
(1) 사람들의 건강이 더욱 좋아집니다.
(2) 대기 오염의 정도가 줄어듭니다.
(3) 지구 온난화 속도가 늦춰집니다.

나쁜 점
(1) 교통수단을 움직일 수 없어서 교통마비가 일어납니다.
(2) 난방과 공장 가동이 되지 않습니다.

흥미로운 점
(1) 대체 연료 수단이 필요합니다.

이익이 되는 해결점
(1) 가까운 미래에 화석연료가 고갈될 것이므로 대체 연료 수단을 개발합니다.
(2) 대체 연료 수단을 마련할 때까지 화석연료를 적게 쓰도록 노력합니다.

2
단계

영재성
검사

창의적 문제
해결력 검사

팩토 영재성 검사 & 창의적 문제해결력 중등 1~2학년

실전 02 만약 내가 타임머신을 타고 시간여행을 한다면, 여행계획을 어떻게 세울 것인지 보기 와 같이 마인드맵으로 정리해 보시오.

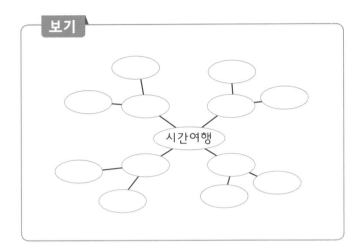

강의 Note

마인드맵(Mind Map)

마인드맵은 아이디어들을 주제별로 묶고 선으로 관계를 나타내어 복잡한 아이디어들을 빠르고 쉽게 파악할 수 있도록 하는 창의적 사고 기법입니다.

(1) 주제를 나타내는 핵심 단어나 이미지를 종이 한가운데에 나타냅니다. (도형, 그림 사용 가능)

(2) 어떤 아이디어라도 판단하지 말고, 자연스럽게 머릿속에서 생각이 떠오르는 내용을 핵심 단어로 기록합니다.

(3) 한 개의 선(가지)에는 한 개의 핵심 단어만 기록합니다.

(4) 아이디어를 나타내는 핵심 단어는 중심에 있는 주제에 선으로 연결합니다.

(5) 아이디어를 부각시키고 생각의 연결을 쉽게 자극하기 위하여 색채, 시각적인 그림, 이미지 또는 기호 등을 사용합니다.

예 가족여행 마인드맵

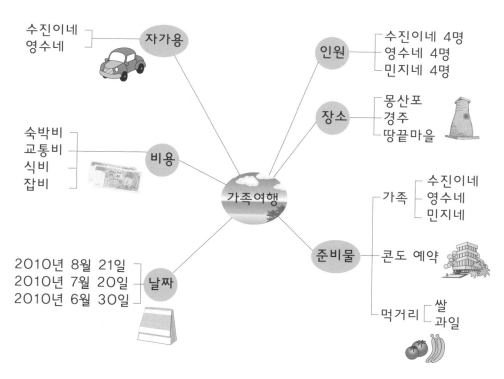

전략 Point

재치있게 쓰기는 주어진 문장으로부터 추론되는 상황을 정리하여 짧은 문장 속에 재치를 담아서 쓰면 됩니다.

❶ 짧은 문장 속에 재치, 유머, 반전 등이 표현되도록 합니다.

❷ 다른 사람들이 쉽게 생각할 수 있는 상황을 표현한 경우에는 좋은 점수를 받을 수 없습니다.

❸ 문장을 길게 쓰고 상황을 상세하게 묘사한 경우에는 좋은 점수를 받을 수 없습니다.

이 글은 재미를 위해 쓴 글입니다. 이것을 고려하여 ☐ 안에 다양하게 글을 채워 넣으시오.

기출 문제

> 임금 : "네가 지금껏 나를 즐겁게 해 줬으니 죽을 방법을 택하게 해 줄 것이다."
>
> 재담꾼 : "은혜로운 임금님, 저는 _____"

친구의 답안을 어떻게 채점하였는지 살펴봅시다.

✓ 이제껏 여러 지방을 다니며 사람들을 웃게 해 주었습니다.

하지만 저를 웃게 해준 사람은 없었습니다.

이 나라 제일의 재담꾼이 된 지금까지도 아무도 저를 웃게 해 준

적이 없었습니다

그래서 저는 죽기 전에 누군가가 재미있었는 이야기로 저를 웃겨,

그 웃음으로 인해 죽고 싶습니다.

이제까지 살면서 걸려낸 재미있는 이야기로 사람들을 너무 웃게

한 꺼밖에 없습니다. 즐겁게 한 제가 죄인이라면 즐거워한

그들도 죄인이라고 생각됩니다 빌디 제가 죽을때, 제 이야기에

즐거워하고 웃었던 모두와 같이 죽고 싶습니다

✓ 저는 아무도 죽은 사람이 없는 이번 달 10일의 마지막날인 30일에

하루를 더 빌텐 10일 전 후에 의미있게 죽음을 맞고 싶습니다 ── 재치 1점

✓ 저는 아직 임금님을 즐겁게 해 드릴 이야기를 다 끝내지 못했습니다

저에게 더 이상 임금님을 즐겁게 할 이야기가 없을 때

죽고 싶습니다

✓ 저는 임금님의 총애를 받은 한갓 족보 것과 같았습니다.

저를 두 번 죽이지 말아주세요 .... ── 재치 1점

아이디어 (4개) : 3점
재치, 반전   : 2점
5점

채점 POINT

❶ 재담꾼이라는 소재와 관련된 이야기가 2가지 있습니다.
그러나 2가지 이야기는 '웃다가 죽는다.', '다른 사람과 같이 죽는다.'
는 같은 아이디어로 평가될 수 있습니다.

아이디어의 개수	점수
1개	1점
2개	2점
3개 이상	3점

❷ 재치, 반전 등이 있는 경우에는 보너스 점수를 얻습니다.

❸ 아이디어의 개수에 따라 채점합니다.

연습│01 다음 글이 재미있도록 □ 안에 글을 채워 넣으시오.

> 옛날에 신데렐라가 살고 있었습니다. 신데렐라는 왕자의 무도회에 초대받아 춤을 추고 있었습니다. 그런데 갑자기 12시가 되어 신데렐라는 계단을 뛰어내려 가다가 구두가 벗겨졌습니다.
>
> 왕자 : "공주! 구두 가져가시오."
>
> 신데렐라 : "   "

연습|02 다음 그림을 보고 병아리가 어떤 말을 했을지 재미있게 써넣으시오.

병아리가 백조를 보고 엄마라고 부릅니다.

화를 내는 백조를 병아리는 자꾸 뒤를 따라 다닙니다.

뒤를 따라오는 병아리가 궁금해진 백조는 물어봅니다.

연습 | **03** 다음 글이 재미있도록 ☐ 안에 글을 채워 넣으시오.

> 옛날에 개미와 베짱이가 살고 있었습니다. 개미는 여름에 겨울을 대비하여 열심히 일을 하였고, 베짱이는 개미 주위의 그늘 아래 앉아서 기타를 치며 노래를 불렀습니다.
>
> 가을이 지나고 겨울이 되자, 베짱이는 개미에게 먹을 것을 얻기 위해 개미네 집을 찾았습니다.
>
> 베짱이 : "개미야! 먹을 것 좀 나누어 주렴."
>
> 개미 : "그러게 봄, 여름에 나처럼 겨울을 준비하지 그랬어."
>
> 이때, 산신령이 나타났습니다.
>
> 산신령 : "베짱이야, 그렇게 배가 고프느냐? 내가 너의 소원 한 가지를 들어 주겠노라! 소원을 말해 보거라."
>
> 베짱이가 소원을 말하려고 하는 순간, 개미가 산신령에게 말을 하였습니다.
>
> 개미 : "⎿＿＿＿＿＿＿＿＿＿＿＿＿＿＿＿＿＿＿＿＿＿＿＿＿⏌"

실전 01 다음 글을 읽고, 여러분이 왕이라면 어떻게 하겠는지 <u>여러 가지</u> 적어 보시오.

> 옛날 옛적에, 어느 나라의 왕이 새로운 법을 만들어 '모든 백성은 이 법을 지켜야 한다.'고 공포했습니다. 그리고는, "만일 이 법을 지키지 않는 사람은 지위 여하를 불문하고 벌로써 두 눈을 뽑겠다."는 무서운 형벌을 발표했습니다. 백성들은 이 형벌이 두려워서 그 법을 아주 잘 지켰습니다.
>
> 그런데 어느 날 그 법을 어긴 어떤 범죄자 한 사람을 잡았습니다. 체포되어 온 사람은 다름 아닌 하나 뿐인 임금님의 아들이었습니다. 왕은 어려운 입장에 놓이게 되었습니다. 자신의 아들이라고 하여 지은 죄를 특별히 용서할 수도 없고, 만약 눈감아준다면 백성들의 불평이 일어날 것이며, 다른 사람이 그 법을 어길 경우 처벌할 수 없기 때문입니다. 아버지로서 아들의 눈을 뽑는다는 일은 차마 못할 일이었습니다. 왕은 크게 고민을 했지만 좋은 방법이 생각나지 않았습니다.

실전02 다음 그림은 책이 흙에 묻혀 있는 것입니다. 다음 그림에 어울리는 광고문을 작성해 보시오.

출처'공익광고협의회 제23회 대한민국 공익광고 대상 잡지 부문 우수상 수상작'

언어적 사고력 ② 중의적 표현

중의적 표현은 하나의 단어 또는 문장이 2가지 이상의 의미를 가지는 경우를 말합니다.

중의적 표현의 종류는 다음과 같습니다.

❶ 어휘적 중의성
  한 단어의 의미가 2가지 이상으로 해석되는 것으로, 동음이의어나 다의어에 의하여 중의성이 나타냅니다.

❷ 구조적 중의성
  문장의 구조적 특성으로 인하여 2가지 이상의 의미로 해석되는 것으로, 주로 수식어나 접속어 등에 의하여 중의성이 나타냅니다.

다음 보기 는 손을 이용하여 서로 다른 뜻으로 문장을 만든 것입니다. '눈(目), 발(足), 재미, 밟다, 잘하다'로 보기 와 같은 문장을 각각 <u>3개씩</u> 만들어 보시오. 기출 문제

> 보기
>
> ### 손
>
> ① 손을 씻고 오너라.
> ② 손을 빌려주다.
> ③ 그 상품은 어디에 가도 손에 넣을 수 없다.
> ④ 이 일은 손이 많이 간다.
> ⑤ 도저히 손을 쓸 도리가 없다.
> ⑥ 그에게 손을 대지 마라.
> ⑦ 그 회사는 전국에 손을 뻗치고 있다.

(1) 눈(目)　①
　　　　　　②
　　　　　　③

(2) 발(足)　①
　　　　　　②
　　　　　　③

(3) 재미　①
　　　　　②
　　　　　③

(4) 밟다　①
　　　　　②
　　　　　③

(5) 잘하다　①
　　　　　　②
　　　　　　③

친구의 답안을 어떻게 채점하였는지 살펴봅시다.

(1) ✓① 눈 뚜에 먼지가 들어갔다.

　✓② 감히 내 눈을 뜨려 하지 말아라.

　✓③ 엄마는 가끔 할머니가 눈에 선하다고 말씀하신다.

2점

(2) ✓① 교통사고를 당해서 발이 부러졌다.

　✓② 진수는 그 날 이후로 발길을 끊었다.

　✓③ 주현이는 발이 넓다.

2점

(3) ✓① 그 영화는 참 재미있다.

　✓② 햄스터는 그녀가 재미로 기르는 동물이다.

　✓③ 장사에 재미 좀 봤습니까?

2점

(4) ✓① 입국 수속을 밟으세요.

　✓② 그녀가 내 발을 밟았다.

　✓③ 이전의 실수를 그대로 밟고 있다.

2점

(5) ✓① 그 꼬마는 응가를 잘한다.

　✓② 다혜보다 다애가 공부를 더 잘한다.

　✓③ 너 또 병을 깨뜨렸니? 아주 잘 하는 짓이구나.

2점
총10점

채점 POINT

❶ 각 단어의 중의적 의미를 찾아서 알맞은 문장을 만들어야 합니다. 단어가 같은 의미를 가지는 문장을 여러 개 쓰는 것은 좋은 점수를 받지 못합니다.

❷ 다음 기준에 따라 문항별로 각각 채점합니다.

기준	점수
서로 다른 뜻으로 3개 이상의 문장을 만든 경우	2점
서로 다른 뜻으로 1 ~ 2개의 문장을 만든 경우	1점

강의 Note

중의적 표현

❶ 어휘적 중의성

　(1) 다의어에 의한 중의성

　　예 입이 무겁다. － 입의 무게가 무겁다.
　　　　　　　　　　 － 말을 별로 하지 않는다.
　　　　　　　　　　 － 비밀을 잘 얘기하지 않는다.

　(2) 동음이의어에 의한 중의성

　　예 배 – 신체의 일부인 복부, 배나무의 열매, 선박

❷ 구조적 중의성

　(1) 수식어의 중복에 의한 중의성

　　예 똑똑한 선생의 제자 – 똑똑한 선생, 똑똑한 제자

　(2) 주어의 범위에 의한 중의성

　　예 아버지는 친구보다 아들을 더 믿는다.
　　　 － 아버지는 친구를 믿는 것보다 아들을 더 믿는다.
　　　 － 아버지는 친구가 아들을 믿는 것보다 아들을 더 믿는다.

　(3) 수를 나타내는 품사에 의한 중의성

　　예 5명의 아군이 10명의 적군을 쏘았다.
　　　 － 5명의 아군이 각각 적군 10명씩을 쏘았다.
　　　 － 아군 5명이 쏜 적군이 모두 10명이다.

　(4) 부정하는 대상에 의한 중의성

　　예 나는 그 꽃을 꺾지 않았다. － 내가 아닌 다른 사람이 그 꽃을 꺾었다.
　　　　　　　　　　　　　　　 － 나는 그 꽃이 아닌 다른 꽃을 꺾었다.
　　　　　　　　　　　　　　　 － 나는 그 꽃을 꺾지 않고 놔두었다.

　(5) 조사 '의'에 의한 중의성

　　예 이것은 그 남자의 작품이다. － 이것은 그 남자가 만든 작품이다.
　　　　　　　　　　　　　　　 － 이것은 그 남자가 소유하고 있는 작품
　　　　　　　　　　　　　　　　 이다.

　(6) 접속 조사 '와, 과'에 의한 중의성

　　예 아버지께서 축구공과 농구공 두 개를 사 오셨다.
　　　 － 아버지께서 축구공 한 개와 농구공 한 개를 사 오셨다.
　　　 － 아버지께서 축구공 한 개와 농구공 두 개를 사 오셨다.

연습|01 다음 문장에서 '배'는 여러 가지 뜻으로 쓰입니다. 이와 같이 주어진 문장을 여러 가지 뜻으로 해석해 보시오.

문장	여러 가지 뜻
저 <u>배</u>를 보세요.	1. 저 복부(신체의 일부)를 보세요. 2. 저 선박(물 위에 뜨는 물건)을 보세요. 3. 저 과일(배나무의 열매)을 보세요.
정말 <u>말</u>이 많다.	
할아버지께서는 <u>돌아가셨습니다.</u>	
<u>손</u> 좀 봐줘.	

연습│02 다음 문장에서 밑줄 친 단어의 뜻이 어떻게 다른지 설명하시오.

(1) 영수는 <u>목</u>에서 피가 나도록 노래 연습을 하여, 좋은 <u>목</u>을 얻었다.
　　　　①　　　　　　　　　　　　　　　　　　　②

(2) 옷이 마음에 <u>들어</u> 사려고 하니 돈이 <u>든다</u>.
　　　　　　　　①　　　　　　　　　　②

(3) 친구에게 <u>생각</u>없이 말하는구나! 20년 후 친구가 없는 너의 모습을 <u>생각</u>해 봐!
　　　　　①　　　　　　　　　　　　　　　　　　　　　　　②

(4) 연극이 <u>보고</u> 싶었지만 집을 <u>보면서</u> 책을 <u>보았다</u>.
　　　　　①　　　　　　　②　　　　　③

실전 01 다음 광고문과 비슷한 표현 방법이 사용된 광고문을 [보기]에서 고르고, 이와 같은 표현 방법을 사용하여 한 문장으로 광고문을 만드시오. [기출 문제]

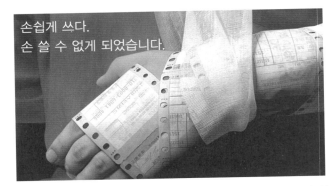

손쉽게 쓰다.
손 쓸 수 없게 되었습니다.

출처 '공익광고협의회 제24회 대한민국 공익광고 대상 신문 부문 우수상 수상작'

보기

① 난, 지성으로 뭉쳤다. 난 건성으로 살았다.
② 꽃이 향기로운 건 겨울을 품어냈기 때문이고, 사람이 아름다운 건 상처를 이겨
   냈기 때문입니다.
③ 운전대와 휴대폰을 같이 잡으면 사람까지 잡을 수 있습니다.
④ 여름을 전기가 시원하게 합니다. 여름이 전기를 힘들게 합니다.
⑤ 나무를 죽이는 컵? 나무를 살리는 컵!

---

(1) 비슷한 광고문 : ☐ 번

(2) [보기]와 비슷한 표현 방법을 사용하여 자신이 만든 광고문을 써 보시오.

실전02 다음과 같이 '산토끼'는 여러 뜻으로 쓰입니다. 이와 같이 여러 가지 뜻을 가지고 있는 다른 낱말을 여러 가지 적으시오.

낱말	여러 가지 뜻
산토끼	1. 살아 있는 토끼 2. 산에 사는 토끼 3. 돈을 주고 산 토끼

논지 파악은 주어진 문장을 읽고, 주제를 파악하여 이를 하나의 문장으로 표현하는 능력을 보는 것입니다.

❶ 주제를 정확히 파악하여 문장에 나오는 내용을 인용하지 말고, 일반적인 진술로 표현합니다.

❷ 하나의 문장으로 표현할 때에는 주어진 조건(예 표어, 속담)에 맞게 하되, 주제가 달라지지 않도록 하여야 합니다.

• 속담 : 옛날부터 말로 전해 내려온 풍자·비판·교훈 등을 간직한 짧은 구절
　　　 기능에 따라서 비판적·교훈적·경험적 속담으로 나눌 수 있습니다.

　－ 비판적 속담 : '천재와 바보는 종이 한 장 차이'와 같이 상대편의 아픈 데
　　　　　　　　 를 찔러 기선을 제압하는 데 씁니다.

　－ 교훈적 속담 : 격언과 비슷한데, '세 살 버릇이 여든까지 간다.'가 그 예입
　　　　　　　　 니다.

　－ 경험적 속담 : 오랜 경험 끝에 체득한 지식을 알기 쉬운 말로 정리한 것이
　　　　　　　　 많은데, '등잔 밑이 어둡다.', '비온 뒤 땅이 굳는다.'가 그 예
　　　　　　　　 에 속합니다.

• 표어 : 사회나 집단에 대하여 어떤 의견이나 주장을 호소하거나 철저히 주지시키기
　　　 위하여 그 내용을 간결하고 호소력있게 표현한 짧은 말.
　　　 예컨데, 교통안전을 도모하기 위한 '순간의 부주의가 평생을 망친다.'라든가,
　　　 환경보존협회의 '하나밖에 없는 지구, 우리가 잘 지켜내자.' 등입니다.

다음 이야기를 읽고, 물음에 답하시오. 기출 문제

어느 조용한 마을에 사자와 소가 살고 있었습니다. 그 둘은 너무 사랑하여 주변 동물들의 반대를 무릅쓰고 결혼까지 하였습니다. 소는 사자를 위하여 맛있는 풀을 열심히 뜯어 주었고, 사자는 싫었지만 먹는 척했습니다. 사자도 맛있는 살코기를 물어다 주었고, 소도 괴로웠지만 꾹 참았습니다. 그러던 어느 날 둘이 마주앉아 서로의 심정을 이야기하였는데 그게 큰일이 되어버렸습니다. 결국은 둘다 "난 최선을 다했을 뿐이야." 라며 헤어지고 말았습니다.

(1) 글쓴이가 말하고자 하는 내용을 제목으로 나타내시오.

(2) 두 주인공이 다툰 이유와 어떻게 하면 헤어지지 않을 지에 대한 속담과 격언을 사용하여 200자 내외의 글을 쓰시오.

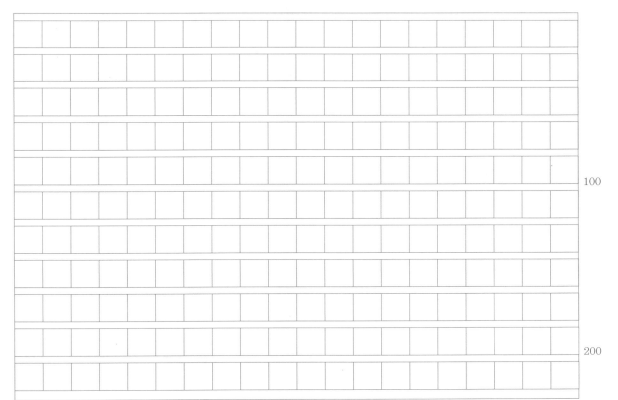

친구의 답안을 어떻게 채점하였는지 살펴봅시다.

점수
10점

(1)

유유상종 — 3점

(2)

물	과		기	름	은		섞	이	지		않	는	다	는		말	이	,
없	듯	이	,	서	로		반	대	의		성	격	과		습	관	을		가
진		초	식	동	물	과		육	식	동	물	의		만	남	이	었	기
때	문	에		소	와		사	자	는		다	툴		수	밖	에		없	었
다	.		물	론		서	로	가		상	대	를		위	해		음	식	을
준	비	한		것	이	긴		했	지	만	,		그	것	이		오	히	려
상	대	를		괴	롭	게		했	던		것	이	다	.		이		두		동
물	이		헤	어	지	지		않	기		위	해	선		역	지	사	지	의
마	음	가	짐	으	로		서	로		배	려	하	는		수	밖	에	없
다	.		상	대	의		입	장	에	서		그		상	대	의		진	심	을
헤	아	린	다	면		이		부	분	는		백	년	해	로	할		수
있	을		것	이	다	.

다툰이유

100

해결 방법

속담:2개

200

글의 제목 : 3점
해결방법제시 : 7점
10점

채점 POINT

❶ '글의 제목'은 다음 기준에 따라 채점합니다.
- 3점 : 글의 주제를 정확하게 파악하고 상징적으로 표현한 경우
- 2점 : 글의 주제를 파악하였으나 직설적으로 표현한 경우 예 남의 말에 귀를 기울여야 한다.
- 1점 : 소재를 단순히 나열한 경우 예 소와 사자

❷ '해결 방법 제시'는 다음 기준에 따라 채점합니다.
- 7점 : 다툰 이유를 정확하게 파악하고 그에 대한 해결 방법을 2가지 이상의 속담과 격언을 사용하여 쓴 경우
- 5점 : 다툰 이유를 파악하였으나 그에 대한 해결 방법을 상세하게 묘사한 경우
- 3점 : 다툰 이유를 파악하였으나 그에 대한 해결 방법을 논리적으로 제시하지 못한 경우

연습|01 다음은 안데르센 동화책에 나온 이야기입니다. 이 이야기를 통해 작가가 이야기하고 자 하는 것을 표어로 나타내시오.

어느 마을에 할아버지와 할머니가 사이좋게 살고 있었습니다. 그들에게는 말이 한 마리 있었는데 돌보기가 힘들어 시장에 내다 팔기로 하였습니다.

할아버지가 말을 끌고 시장에 가다가 양을 끌고 가는 사람을 만났습니다. 할아버지 는 양이 있으면 매일 젖을 짜 먹을 수 있어 좋을 것 같아서 말과 양을 바꾸자고 하였 습니다. 양을 가진 사람은 얼른 바꿔 주었습니다.

양을 끌고 가던 할아버지는 암탉을 안고 가는 사람을 만났습니다. 할아버지는 암탉 은 돌보지 않아도 매일 달걀을 낳아 주어 더 좋을 거 같아 양과 암탉을 바꾸었습니다.

시장에 거의 다 온 할아버지는 암탉을 안고 가다가 이번에는 썩은 사과 한 자루를 내 다 버리려는 사람을 만났습니다.

할아버지는 그 아까운 것을 왜 버리느냐며 암탉과 바꾸자고 하였습니다. 할머니가 식초를 만들려고 썩은 사과를 찾던 일이 생각났기 때문입니다.

썩은 사과 한 자루를 갖고 음식점에 들어간 할아버지는 마침 신사 한 분이 그것이 무 엇이냐고 물어 보아서 지금까지 있었던 일을 모두 이야기하였습니다.

이야기를 다 들은 신사는 집에 돌아가면 할머니가 분명 화를 낼 거라고 말하였고, 할 아버지가 그렇지 않을 거라 말해서 내기를 하자고 하였습니다.

할머니가 화를 내지 않으면 자신이 갖고 있는 금화를 다 주겠다고 하였습니다.

집으로 돌아간 신사와 할아버지는 지금까지 있었던 일을 할머니에게 모두 말하였고, 할머니는 이야기를 들을 때마다 "잘하셨구려."를 연발하였습니다.

결국 신사는 갖고 있던 금화를 다 내놓고 돌아갔습니다.

연습|02 다음 글을 읽고, 알맞은 속담을 <u>많이</u> 만들어 보시오.

여우 한 마리가 포도밭 옆을 지나가고 있었습니다. 여우는 뛰어들어가서 포도를 마음껏 따 먹고 싶었습니다.

이곳저곳 포도밭 울타리를 살피며 들어갈 만한 구멍을 찾았더니, 한군데가 있긴 있는 데 구멍이 너무 좁아서 들어갈 수가 없었습니다.

여우는 방법을 고민하다가 제 몸뚱이의 살을 빼서 들어가기로 하고, 사흘 동안 아무 것도 먹지 않았습니다. 홀쭉하게 살이 빠진 여우는 구멍으로 들어가 정신없이 포도를 따 먹었습니다.

배가 불러오자 여우는 살기 위해 들어왔던 구멍으로 다시 머리를 내밀었습니다. 그러나 배가 뚱뚱하게 불러 도저히 빠져 나올 수가 없었습니다. 결국 여우는 다시 사흘을 굶어 간신히 포도밭 밖으로 나올 수 있었습니다.

연습 03 다음 글을 읽고 글쓴이가 말하려는 것이 무엇인지 한 문장으로 쓰고, 비슷한 이야기를 만들어 보시오. (단, 속담이나 비유적인 표현은 쓰지 마시오.)

> 바닷가에서 한 어부가 물고기를 잡았습니다. 어부가 물고기를 물 밖으로 끌어내자, 그 물고기가 외쳤습니다.
>
> "살려 주세요. 저는 물 밖에서는 살 수 없어요."
>
> 그러자 어부는 물고기를 놀리면서 말했습니다.
>
> "이 바보야, 숨을 쉬어 봐. 나처럼 이렇게 말이야."
>
> 그런데 파도가 크게 쳐서 배가 뒤집혀 어부는 그만 물 속에 빠지고 말았습니다. 어부는 외쳐댔습니다.
>
> "숨을 못 쉬겠네. 나를 살려다오! 물 속에서는 숨을 쉴 수가 없어." 그러자 물고기는 이렇게 말했습니다.
>
> "이 바보야, 숨을 쉬어 봐! 내가 하는 대로 말이야."

(1) 글쓴이가 말하려는 것은 무엇입니까?

(2) 자신이 만든 이야기를 쓰시오.

실전 01 다음은 라퐁텐의 우화의 일부분입니다. 이 이야기를 통해 작가가 말하고자 하는 것을 표어로 나타내시오. 기출 문제

출산을 앞둔 들개 한 마리가 전부터 알던 암캐의 집을 찾아가서 새끼가 태어날 때까지만 집을 빌려 달라고 애원했습니다.

부탁을 받은 암캐는 곤란했지만, 들개의 불룩한 배를 보고는 같은 어미개로서 거절하는 것이 마음에 걸려서 집을 빌려 주었습니다.

그리고 얼마 지나지 않아서 들개 새끼들이 태어나자, 암캐는 집을 비워 달라고 했습니다. 들개는 새끼 세 마리를 감싸면서 새끼들의 다리에 힘이 오를 때까지 조금만 더 봐 달라고 사정을 했습니다. 그래서 할 수 없이 암캐는 몇 주 동안 들에서 비바람을 맞으며 참았습니다.

암캐가 다시 집으로 가서 집을 비워 달라고 하였습니다. 그러자 다 자란 들개의 새끼들이 짖어대며 말하였습니다.

"이 곳은 이제 우리 거야. 오지 마!"

암캐는 들개에게 집을 빌려 준 일을 후회하였지만, 그때는 이미 어쩔 수가 없었습니다.

실전 02 다음의 세 가지 이야기를 읽고 글쓴이가 말하려는 것이 무엇인지 한 문장으로 쓰고, 비슷한 이야기를 만들어 보시오. (단, 속담이나 비유적인 표현은 쓰지 마시오.)

기출 문제

> [이야기 1] 어느 날, 닭이 먹이를 찾아 땅바닥을 쪼다가 우연히 진주를 발견했다.
> "이게 뭐야! 옥수수인 줄 알았는데."
>
> [이야기 2] 어느 날, 개가 산 속에서 주인이 쏘아 맞힌 사냥감을 찾다가 금가루가 들어 있는 자루를 발견했다.
>
> [이야기 3] 어느 날, 한 아저씨가 창고를 청소하다가 아주 중요한 옛날 책을 발견했다. 하지만 아저씨는 그것이 무엇인지 알려고 하지도 않고 그 책을 휴지통에 버렸다.

2
단계

영재성
검사

창의적 문제
해결력 검사

(1) 글쓴이가 말하려는 것은 무엇입니까?

(2) 자신이 만든 이야기를 쓰시오.

대표 유형 탐구

다음 **보기**를 보고 물음에 답하시오. **기출 문제**

> **보기**
>
> $18=3 \times (3+3)$ 최소 개수 : 3번

(1) **보기**와 같이 3과 $+, -, \times, \div, (\ )$를 사용하여 다음 식을 완성하시오. 또, 3의 최소 개수를 구하시오. (단, 3을 여러 개 이어 붙여서 두 자리 수 이상의 수를 만들어 계산해도 됩니다.)

식	최소 개수
36=	
48=	
54=	

(2) **보기**와 같은 방법으로 3을 최소로 사용하여 31미만의 자연수를 만들 때, 3의 개수가 4개인 수를 모두 쓰시오. (단, 3을 여러 개 이어 붙여서 두 자리 수 이상의 수를 만들어 계산해도 됩니다.)

네 개의 4와 +, −, ×, ÷ 또는 ( )를 사용하여 1부터 100까지의 수를 만드는 것을 **포포즈** 라고 합니다. 숫자를 두 개 이어 붙여서 두 자리 수로 계산하여도 된다고 할 때, 포포즈로 1 부터 10까지의 수를 만들어 보시오.

4   4 ÷ 4   4 = 1

4   4   4   4 = 2

4   4   4   4 = 3

4   4   4   4 = 4

4   4   4   4 = 5

4   4   4   4 = 6

4   4   4   4 = 7

4   4   4   4 = 8

4   4   4   4 = 9

4   4   4   4 = 10

2
단계

영재성
검사

창의적 문제
해결력 검사

01 다음 빈칸에 1부터 6까지의 숫자를 써넣었을 때, 계산 결과가 자연수가 되는 경우는 모두 몇 가지입니까?

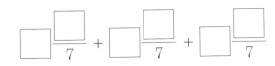

02 다음 수 사이에 +, −, ×, ÷, ( )를 넣어 식이 성립하도록 만들어 보시오.

$$1 \quad 2 \quad 3 \quad 4 = 1$$

$$1 \quad 2 \quad 3 \quad 4 = 2$$

$$1 \quad 2 \quad 3 \quad 4 = 3$$

$$1 \quad 2 \quad 3 \quad 4 = 4$$

$$1 \quad 2 \quad 3 \quad 4 = 5$$

03 다음 식의 □ 안에 +, −, ×, ÷를 한 번씩 넣어 계산했을 때, 값이 가장 큰 경우의 계산식과 그 값을 구하고 방법을 설명하시오.

$$\frac{1}{2} \ \square \ \frac{2}{3} \ \square \ \frac{3}{4} \ \square \ \frac{4}{5} \ \square \ \frac{5}{6}$$

04 다음 수를 모두 이용하여 식을 만들었을 때, 계산 결과가 1이 되는 식을 만들어 보시오.

$$2 \qquad 1.5 \qquad 3 \qquad \frac{3}{4} \qquad 7$$

⁺**01**
Plus

보기와 같은 (대분수)÷(진분수)의 나눗셈식이 있습니다. □ 안에 숫자 1, 2, 3, 4, 5, 6 중 5개를 골라 한 번씩 사용하여 계산하였을 때, 나눗셈의 결과가 큰 순서부터 5개의 나눗셈식을 찾으시오. **기출 문제**

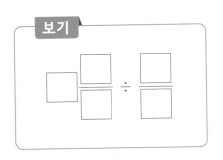

(1)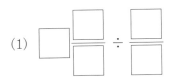

(2)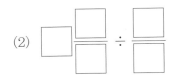

(3)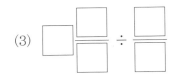

(4)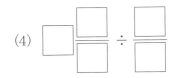

(5)

⁺**02**
Plus

0부터 9까지의 숫자 카드가 1장씩 있습니다. 보기와 같이 알맞은 분수를 만들어 보시오.

보기

숫자 카드 4장, $\dfrac{1}{2}$

$$\dfrac{\boxed{1}\;\boxed{3}}{\boxed{2}\;\boxed{6}} = \dfrac{1}{2} \qquad \dfrac{\boxed{1}\;\boxed{4}}{\boxed{2}\;\boxed{8}} = \dfrac{1}{2} \qquad \dfrac{\boxed{1}\;\boxed{5}}{\boxed{3}\;\boxed{0}} = \dfrac{1}{2}$$

(1) 숫자 카드 4장, $\dfrac{1}{5}$

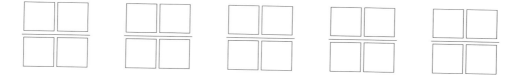

(2) 숫자 카드 6장, $\dfrac{1}{4}$

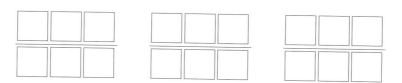

(3) 숫자 카드 8장, $\dfrac{1}{2}$

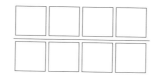

대표 유형 탐구

A, B, C, D 네 명의 사람이 있는데, 이들 네 사람은 모두 키가 다릅니다. 다음 글을 읽고, 네 사람을 키가 큰 순서대로 나열할 수 있는 방법의 가짓수를 찾으시오.

기출 문제

> A : 나는 C와 D 둘 중 하나보다는 크다.
> B : 나는 C보다 클 수도 있고, D보다 클 수도 있고, 둘보다 클 수도 있다.
> C : 나는 A와 D보다 키가 크다.

Lecture

문제에 주어진 조건을 부등호를 사용하여 가능한 경우를 나타내어 봅시다.

❶ C는 A와 D보다 키가 크므로 C>A>D 또는 C>D>A입니다.

또, A는 C와 D 둘 중 하나보다는 크므로 가능한 경우는 C>A>D임을 알 수 있습니다.

❷ ❶에서 구한 경우에 B의 말을 보고, 가능한 D의 위치를 찾아 가능한 경우를 모두 구합니다.

01 호철, 동하, 승호, 문서가 지난 한 달간 지각한 횟수를 조사했더니 다음과 같은 결과가 나왔습니다. 지각을 많이 한 순서대로 이름을 쓰시오.

> - 호철이가 가장 많이 한 것은 아닙니다.
> - 문서는 가장 적게도, 가장 많이도 하지 않았습니다.
> - 승호가 셋째 번으로 많이 했습니다.

2
단계

영재성
검사

창의적 문제
해결력 검사

02 A, B, C, D, E, F 여섯 명의 친구들이 달리기를 하였습니다. 결승점에 도착한 순서대로 나열하시오.

> A : 나는 B보다 빨리 달렸습니다.
> B : 나는 C보다 먼저 도착했습니다.
> D : 나는 C에게 졌습니다.
> E : 나는 F보다 늦었지만 A보다는 먼저 들어왔습니다.

01 정은, 선희, 준원, 민구, 수연 5명의 학생들이 다음과 같이 일렬로 서있습니다. 앞에 선 학생부터 차례대로 이름을 쓰시오.

① 정은이의 앞뒤에는 여자가 있습니다.
② 민구와 준원이만 남자입니다.
③ 선희는 맨 앞과 맨 뒤에 없습니다.
④ 키가 작은 사람일수록 앞에 있습니다.
⑤ 선희 뒤에는 남자가 있습니다.
⑥ 준원이가 가장 작습니다.

02 어느 동물원의 우리 안에는 다음과 같이 사슴, 염소, 호랑이, 사자, 곰, 고릴라가 들어 있습니다. 조건에 맞게 동물의 이름을 모두 써넣으시오.

① 사자와 곰의 우리는 서로 붙어 있습니다.
② 사슴과 호랑이의 우리는 가장 멀리 떨어져 있습니다.
③ 염소 우리는 사슴 우리의 남쪽에 붙어 있습니다.
④ 사자 우리는 고릴라 우리의 서쪽에 붙어 있습니다.

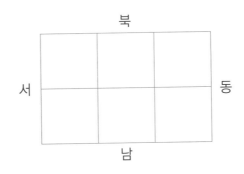

03 A, B, C, D, E 다섯 명의 가족이 둥근 탁자에 서로 바라보며 앉아 있습니다. 다음 다섯 명이 한 말을 읽고, 이 가족의 첫째 아들은 누구인지 쓰시오. (단, 가족은 부모님과 세 자녀입니다.)

> A : 제 옆에는 엄마가 앉아 있고, 오빠와 저는 떨어져 앉아 있어요.
> B : 내년이면 저도 E의 나이가 되지요.
> C : 저와 A 사이에는 D, E가 앉아 있어요.
> D : 저는 A와 떨어져 앉아 있어요.
> E : 저는 남자이고, 우리 가족 중 나이가 제일 많아요. 저의 오른쪽에는 막내 아들이 앉아 있어요.

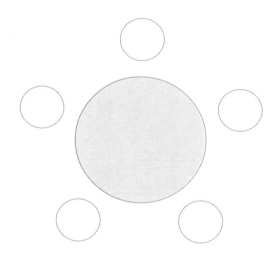

⁺**01**
Plus

다섯 명의 아이들이 모여서 달리기 시합을 했습니다. 아이들의 이야기를 읽고, 다음 중 넷과 다른 상황을 말한 것을 고르시오.

> A : 나는 1등으로 달리다 넘어져서 다시 일어나지 못했다.
> B : E는 세 명을 제쳤지만 1등은 아니었다.
> C : 나는 D보다 앞서서 달린 적이 없었다.
> D : 나는 한 번 추월했고, 한 번 추월당했다.
> E : 1등부터 5등까지 순위가 정해졌다.

① 출발 후에는 A, B, D, E, C의 순위로 달리고 있었습니다.
② 시합 중에 보니 B, D, C, E, A의 순위로 달리고 있었습니다.
③ 시합 중에 보니 B, E, D, C, A의 순위로 달리고 있었습니다.
④ E가 앞지른 사람은 A, B, D입니다.
⑤ 앞장을 서봤던 사람은 모두 두 명입니다.

⁺**02**
Plus

A, B, C, D 네 사람이 파란색, 빨간색, 노란색 모자 중 하나를 쓰고 앞을 보고 세로로 길게 앉아 있습니다. 자기 앞에 앉은 사람의 모자만 볼 수 있다고 할 때, D가 쓴 모자는 무슨 색깔입니까?

> A : 나는 파란색 모자가 보입니다.
> B : 내 뒤에 A가 앉아있습니다.
> C : 파란색, 빨간색, 노란색 모자가 보입니다.
> D : 파란색, 노란색 모자가 보입니다.

⁺**03**
_{Plus}

여학생인 지영이와 시은, 남학생인 동준이와 태경이가 책상에 둘러앉아 좋아하는 음식에 대해 이야기하고 있습니다. 4명의 학생이 좋아하는 음식은 각각 떡볶이, 햄버거, 김밥, 피자 중의 하나입니다. 다음을 읽고, 4명의 학생이 좋아하는 음식을 각각 구하시오.

- 시은이는 김밥을 좋아하는 학생 옆에 앉아 있습니다.
- 햄버거를 좋아하는 학생의 왼쪽에 여학생이 앉아 있습니다.
- 김밥을 좋아하는 학생은 지영이와 마주 보고 앉아 있습니다.
- 떡볶이를 좋아하는 학생이 동준이의 왼쪽에 앉아 있습니다.
- 지영이와 태경이는 바로 옆에 앉아 있습니다.

지영 –

시은 –

동준 –

태경 –

2
단계

영재성
검사

창의적 문제
해결력 검사

수리적 사고력 ③ 문제해결력

대표 유형 탐구

다음 그림과 같이 입구가 아래로 향하도록 4개의 컵이 놓여져 있습니다. 이때, 컵을 2개씩 한꺼번에 뒤집는다면 2번 만에 컵의 입구가 모두 위로 향하도록 놓을 수 있고, 컵을 3개씩 한꺼번에 뒤집는다면 **보기**와 같이 4번 만에 컵의 입구가 모두 위로 향하도록 놓을 수 있습니다.

보기

1번 시행 후

2번 시행 후

3번 시행 후

4번 시행 후

〈단, 밑줄은 다음 단계에서 뒤집어야 할 컵〉

입구가 아래로 향하는 60개의 컵이 놓여져 있다고 할 때, 14개씩 컵을 한꺼번에 뒤집는다면 최소 몇 번만에 모든 컵의 입구가 위로 향하도록 놓을 수 있겠습니까?

Lecture

컵 3개가 아래로 향하여 놓여져 있고, 한 번에 2개씩 컵을 뒤집을 때, 컵 3개를 모두 위로 향하게 만들 수 있을까요?

여러 번 시도해 보아도 안 될 것입니다. 그 이유를 알아봅시다.

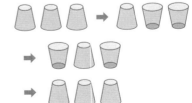

처음에 아래로 향한 컵의 개수는 3개입니다. 컵 2개를 뒤집으면 아래로 향한 컵의 개수는 1개가 됩니다. 다시 컵 2개를 뒤집으면 아래로 향한 컵의 개수는 1개 또는 3개가 됩니다. 다시 해 보아도 항상 아래로 향한 컵의 개수는 1개 또는 3개가 됩니다. 이것은 아래로 향한 컵의 개수가 홀수 개인데, 짝수 개를 더하거나 뺀다고 해도 그 결과는 항상 홀수가 되는 짝수, 홀수의 성질 때문입니다. 이러한 짝수, 홀수의 성질을 **패리티(parity)**라고 합니다.

숫자를 선택하면 그 숫자의 오른쪽에 있는 숫자부터 놓인 반대 순서로 뒤집습니다. 다음은 54213을 12345로 가장 적은 횟수를 이용하여 바꾼 것입니다.

$$54\underline{213} \rightarrow 543\underline{12} \rightarrow \underline{54321} \rightarrow 12345$$

653412를 123456으로 가장 적은 횟수로 서로 다른 2가지 방법으로 바꾸어 보시오.

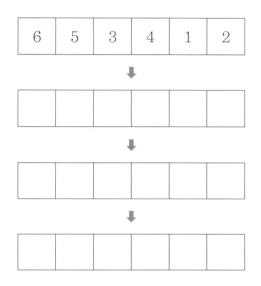

01 달리기 시합에서 1등부터 4등까지의 학생에게 1001권의 공책을 다음 **조건**에 맞게 나누어 주려고 합니다.

> **조건**
>
> ① 한 묶음의 공책의 수가 같도록 1001권을 여러 묶음으로 나누어 포장한다.
> ② 먼저 1등부터 4등까지 포장된 공책을 한 묶음씩 나누어 준다.
> ③ 다시 1등부터 3등까지 포장된 공책을 한 묶음씩 나누어 준다.
> ④ 다시 1등과 2등에게 포장된 공책을 한 묶음씩 나누어 준다.
> ⑤ 남은 묶음은 1등에게 모두 주었더니, 1등이 받은 모든 공책의 수는 전체 공책의 수의 절반보다 적게 되었다.

이때, 포장된 한 묶음에 들어 있는 공책의 수를 구하시오.

02 다음은 지난 한 해 동안 내가 읽은 책에 대한 설명입니다. 시, 수필, 만화, 단편소설, 장편소설 중 가장 많이 읽은 책과 가장 적게 읽은 책을 각각 구하시오.

> 시를 매주 1권 읽었다.
> 수필을 1달에 3권 읽었다.
> 작년에 모두 20권의 만화책을 읽었다.
> 작년에 단편소설을 2개월에 평균 5권 읽었다.
> 작년에 장편소설을 3개월에 평균 10권 읽었다.

03 다음과 같이 서울을 출발하여 여러 도시를 경유하고 다시 서울로 되돌아오려고 합니다.

> 서울 → 북경 → 비엔나 → 프라하 → 비엔나 → 북경 → 서울

비행기는 바람의 세기에 따라 갈 때와 올 때 걸리는 시간이 다르며, 아래 표는 비행기의 출발 시각과 도착 시각을 현지 시각으로 나타낸 것입니다.

날짜	출발 도시	도착 도시	출발 시각	도착 시각
12월 15일	서울	북경	10 : 00	10 : 45
12월 15일	북경	비엔나	14 : 45	18 : 15
12월 15일	비엔나	프라하	19 : 35	20 : 35
12월 23일	프라하	비엔나	18 : 10	19 : 10
12월 23일	비엔나	북경	20 : 15	12 : 55(다음 날)
12월 24일	북경	서울	15 : 50	18 : 30

이때 비행기로 서울에서 프라하까지 걸리는 시간과 프라하에서 서울로 올 때 걸리는 시간의 차를 구하시오. (단, 서울이 14:00일 때 북경은 13:00이고, 비엔나와 프라하는 6:00입니다. 비행기를 실제로 타는 시간만 계산하며, 중간에 쉬는 시간은 제외합니다.)

⁺01
Plus
갑, 을, 병 세 사람이 탁구 경기를 하였습니다. 모든 경기에서 무승부는 없었으며 진 사람은 다음 경기에 심판을 보게 됩니다. 13번의 경기가 끝난 후 결과는 다음과 같았습니다.

> **결과**
>
> ① 첫 경기는 병이 갑을 이겼다.
> ② 마지막 경기에서는 을이 졌다.
> ③ 을은 9승, 병은 1승을 하였다.

경기에서 이긴 경우(○), 진 경우(×), 심판을 본 경우(△)로 표시를 하여 아래의 표를 작성한다면 서로 다른 표는 몇 가지 만들 수 있습니까?

이름＼횟수	1	2	3	4	5	6	7	8	9	10	11	12	13
갑													
을													
병													

+02
Plus

다음 그림과 같이 의자 8개가 두 개의 원 모양을 따라 놓여 있고, 각 의자에는 ㉠, ㉡, ㉢, ㉣, ㉤, ㉥, ㉦, ㉧의 학생 8명이 앉아 있습니다.

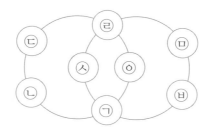

의자에 앉아 있는 학생들은 매 단계마다 다음의 [규칙 1]과 [규칙 2]를 차례로 한 번씩 반복하여 자리를 옮겨 앉습니다.

> **규칙**
>
> 1. 왼쪽 원을 따라 앉아 있는 다섯 명의 학생들이 시계 방향으로 한 칸씩 자리를 옮겨 앉는다.
> 2. 오른쪽 원을 따라 앉아 있는 다섯 명의 학생들이 시계 방향으로 한 칸씩 자리를 옮겨 앉는다.

1단계 위의 [규칙 1]과 [규칙 2]에 따라 차례대로 자리를 옮겨 앉으면 다음 그림과 같습니다.

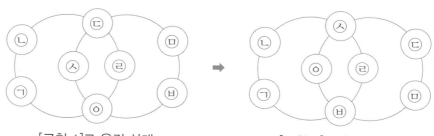

[규칙 1]로 옮긴 상태 　　　　　 [규칙 2]로 옮긴 상태

2단계 **1단계** 의 둘째 번 그림의 상태에서 [규칙 1]과 [규칙 2]에 따라 자리를 옮겨 앉습니다.

이와 같은 과정을 반복한다고 할 때, 몇 단계에서 처음으로 모든 학생들이 시작했을 때의 자신의 자리에 앉게 됩니까?

대표 유형 탐구

64개의 버튼이 가로와 세로로 균등하게 있는 다음과 같은 금고가 있습니다. 이 금고를 열려면 모두 12개의 버튼을 눌러야 합니다. 영호는 10개의 버튼을 눌렀지만 나머지 2개의 버튼이 생각나지 않아서 전에 적어둔 메모를 보고 남은 2개의 버튼을 누르려고 합니다. 눌러야 할 버튼은 무엇입니까? 기출 문제

① 모두 12개의 버튼을 눌러야 한다.
② 3개의 버튼의 중심이 한 직선 위에 있을 때, 이 직선을 곧은선이라고 한다.
③ 4개의 버튼의 중심이 곧은선 위에 있으면 안된다.
④ 곧은선의 개수는 모두 10개이다.

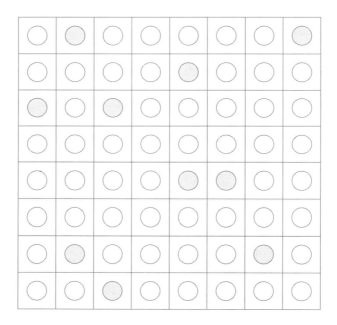

수리 ❹ Drill

보기 와 같이 주어진 수는 그 수를 둘러싼 4개의 점을 연결하고 있는 선분의 개수를 나타냅니다.

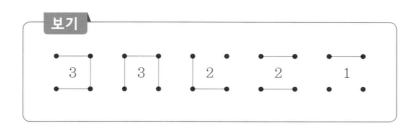

같은 방법으로 다음 그림의 점을 연결하여 보시오. (단, 선분은 끊어진 곳이 없도록 모두 연결되어 있어야 합니다.)

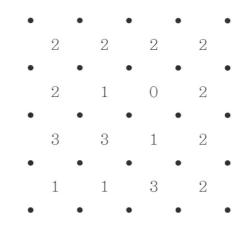

01 표 안의 수는 그 칸에 놓인 건물의 층수를 의미합니다. 또, 표 밖의 수는 그 위치에서 화살표 방향으로 볼 때, 보이는 건물의 수를 나타냅니다. 보기 와 같이 조건에 맞게 가로, 세로줄에 같은 층의 건물이 없도록 표를 채우시오.

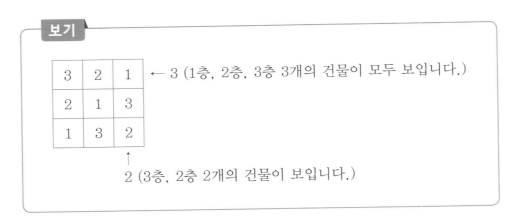

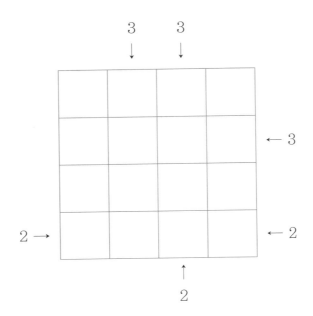

건물의 층수 : 1, 2, 3, 4

02 가로, 세로, 대각선에 놓여진 바둑돌의 개수가 0개, 1개 또는 2개가 되도록 바둑돌을 놓을 때, 가장 많은 바둑돌을 놓을 수 있는 모양을 그리시오.

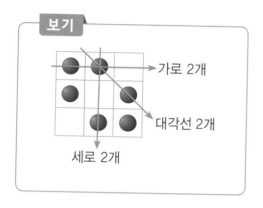

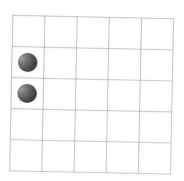

03 수가 적힌 정사각형으로 모양을 만들었습니다. 0부터 10까지의 수를 한 번씩 지나도록 출발점에서 도착점까지 잇는 선을 그으시오. (단, 보기 와 같이 선을 서로 이웃한 다른 세로줄의 칸으로만 이동할 수 있습니다.)

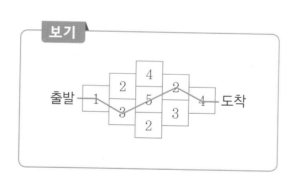

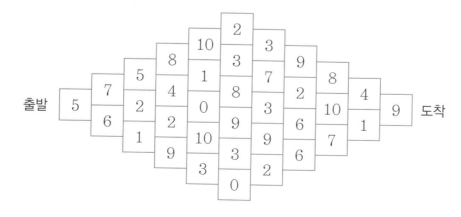

04 보기와 같이 표의 가로, 세로줄에는 1, 2, 3이 한 번씩만 들어갑니다. 또, 표 밖의 수는 수가 쓰인 위치에서 화살표 방향으로 표 안을 볼 때, 가장 먼저 보이는 수를 나타냅니다.

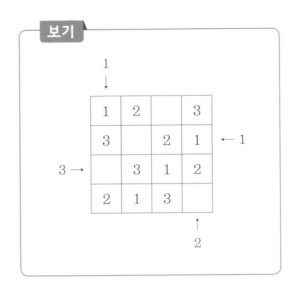

보기와 같이 아래표의 가로, 세로줄에 1, 2, 3, 4가 한 번씩만 들어가도록 조건에 맞게 표를 채우시오.

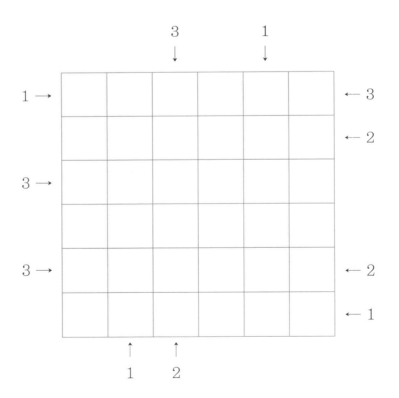

05 거울의 굴절 원리를 이용하여 다음 규칙 에 맞게 거울이나 점을 그려 거울 반사 퍼즐을
완성하시오.

> **규칙**
>
> • 큰 정사각형 주위의 수는 그 수에서 정사각형 안에 빛을 직선으로 비추었을 때, 빛
>   이 점들을 지나가는 횟수입니다.
> • 각 칸에는 점 또는 거울이 반드시 놓여 있어야 합니다.
> • 각 칸에는 거울을 대각선 방향으로만 놓을 수 있습니다.
>   **예** 거울 2개와 점 2개를 그려서 퍼즐을 완성한 것입니다.
>
> 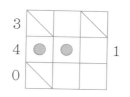 ➡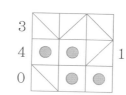
>
>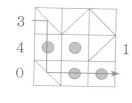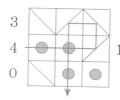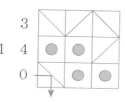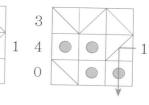

(1)

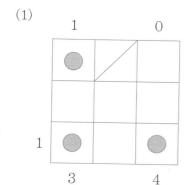

(2)

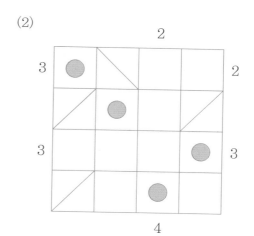

대표 유형 탐구

다음은 어떤 입체도형을 앞과 위에서 본 그림입니다. 다음 그림을 보고, 입체도형의
겨냥도를 그리시오. 기출 문제

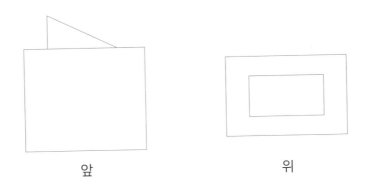

앞   위

Lecture

어떤 물건을 만들 때에는 먼저 어떻게 만들지를 도면으로 그리게 됩니다. 이때, 많이 사용되는 방법이 3
각법입니다. 3각법은 물건의 위, 앞, 옆에서 본 모양으로 물건을 나타내는 것입니다.
머릿속으로 생각하여 어느 쪽에서 보면 어떻게 보일 지를 상상해 보고, 실제 도형을 여러 측면에서 관찰
해 보면 입체도형에 대한 공간감각이 길러질 것입니다.

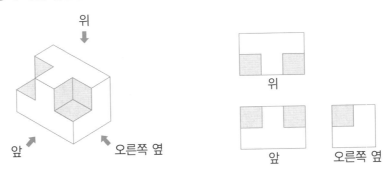

보기와 같이 주어진 입체도형의 앞에서 본 모양과 위에서 본 모양을 그리시오.

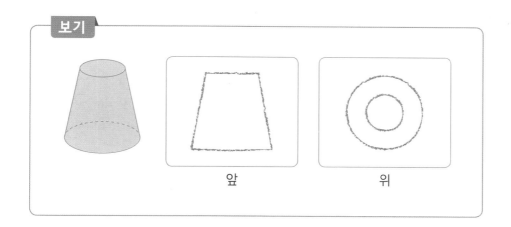

보기

앞

위

(1)

앞

위

(2)

앞

위

(3)

앞

위

2
단계

영재성
검사

창의적 문제
해결력 검사

01   어떤 입체도형의 두 방향에서 각각 빛을 비추었을 때 벽에 나타난 그림자가 다음과 같습니다. 다음 중 이 입체도형은 어느 것입니까?

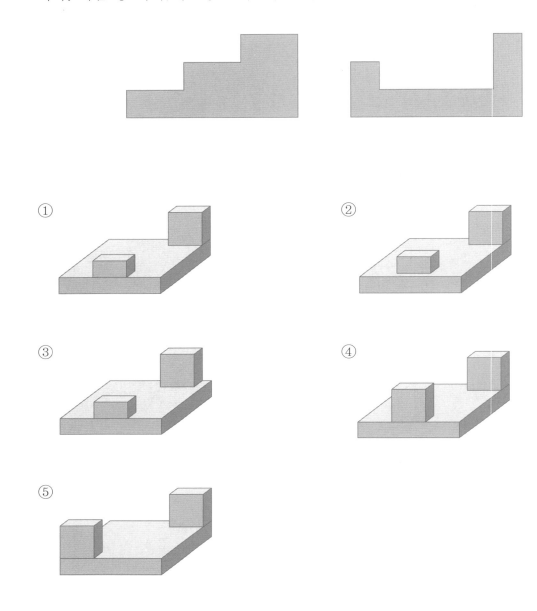

①   ②

③   ④

⑤

02 다음 그림과 같이 정육면체의 전개도에 선을 그은 후 접었을 때의 겨냥도로 <u>옳은</u> 것은 어느 것입니까?

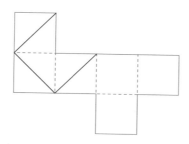

①  ② 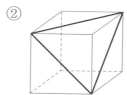 ③

④ 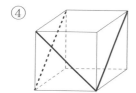 ⑤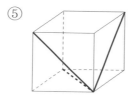

⁺**01**
_{Plus} **보기** 와 같이 왼쪽 그림의 구멍을 꼭맞게 통과할 수 있는 입체도형의 겨냥도를 그려 보시오.

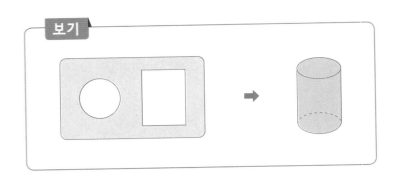

(1)

(2)

(3)

대표 유형 탐구

다음은 정십이면체의 전개도입니다. 다음 전개도를 접어서 나온 주사위를 던졌을 때의 윗면의 숫자를 a, 마주보는 면의 숫자를 b라고 할 때, 가능한 순서쌍 (a, b)를 모두 구하시오. (단, (a, b)＝(b, a)입니다.) 기출 문제

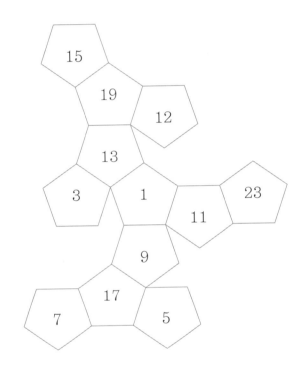

다음 전개도를 접었을 때의 도형을 찾으시오.

(1)

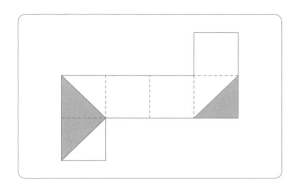

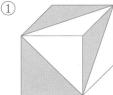　　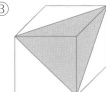　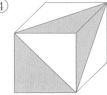

(2)

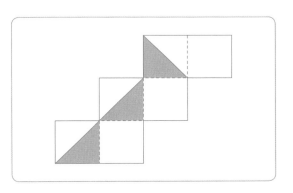

　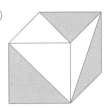　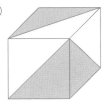　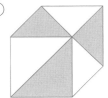

01 정육면체의 모서리의 $\frac{1}{2}$ 되는 지점을 연결한 선을 따라 꼭짓점을 모두 자릅니다. 이렇게 만든 입체도형을 굴리다가 정확히 반을 잉크에 담갔다 뺍니다. 이 입체도형의 전개도를 그리시오. 기출 문제

Lecture

다면체의 꼭짓점에서 만나는 모서리의 중점을 연결한 모양을 **꼭짓점 모양**이라고 합니다.
따라서 정육면체의 꼭짓점 모양은 정삼각형, 정팔면체는 정사각형, 정이십면체는 정오각형입니다.

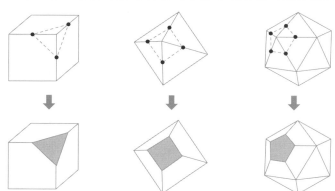

02 그림과 같이 정사면체의 각 모서리의 $\frac{1}{3}$ 지점을 연결한 선을 따라 잘라 새로운 입체도형을 만들었습니다. 물음에 답하시오.

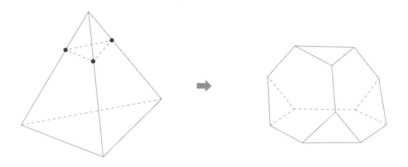

(1) 이 입체도형을 이루는 면의 모양과 각각의 개수를 구하시오.

(2) 바닥에 가려서 보이지 않는 면을 ㈎라 할 때, 전개도를 완성하시오.

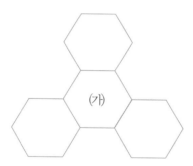

(3) 오른쪽 그림과 같이 바닥에서부터 높이 $\frac{1}{2}$ 지점까지 페인트를 채웠습니다. 페인트가 묻은 부분을 (2)의 전개도에 칠하시오.

다음 그림과 같이 한 변의 길이가 5cm인 정사각형 모양의 색종이가 있습니다. 이 색종이로 한 변의 길이가 1cm인 정육면체를 여러 개 만들려고 합니다. 다음 색종이 위에 정육면체의 전개도를 그리시오. (단, 전개도끼리 겹치거나 색종이 밖으로 나가서는 안됩니다.)

(1) 정육면체 전개도 2개

(2) 정육면체 전개도 3개

$^{+}$**02**
Plus

그림과 같이 정육면체의 각 모서리의 $\frac{1}{3}$ 지점을 연결하는 선을 따라 꼭짓점을 모두 잘라냅니다. 이 입체도형의 전개도를 그리시오.

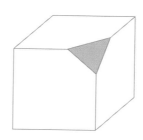

$^{+}$**03**
Plus

다음 도형의 전개도를 완성하시오.

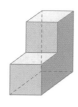 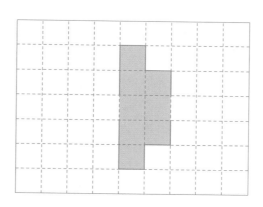

③ 쌓기나무의 최대, 최소 개수

보기 는 4개의 쌓기나무를 쌓아 위, 앞, 옆에서 바라본 모양과, 위에서 본 각 부분의 쌓기나무의 개수를 나타낸 것입니다. 기출 문제

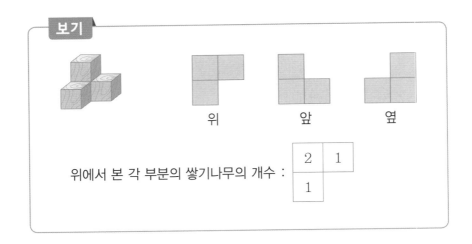

다음은 쌓기나무를 쌓아 만든 도형을 위, 앞, 옆에서 바라본 모양입니다.

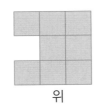 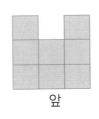 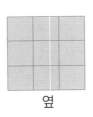

위와 같은 모양이 되도록 가장 적은 개수의 쌓기나무로 쌓는 경우는 여러 가지가 있습니다. 각각의 경우에 대하여 보기 와 같이 위에서 본 각 부분의 쌓기나무의 개수를 다음 모양에 써넣으시오.

Lecture

위, 앞, 옆에서 본 모양이 다음과 같을 때, 쌓기나무를 쌓는 방법의 가짓수를 찾아봅시다.

❶ 앞에서 보았을 때 한 칸만 있으므로 2를 채웁니다.

❷ 색칠한 부분에는 앞, 옆에서 보았을 때 2가 있으므로 3이 들어갈 수 없습니다. 따라서 3이 들어갈 자리를 채울 수 있습니다.

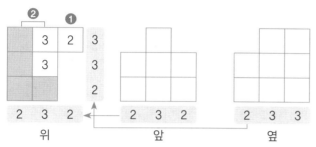

❸ ○표한 부분에 2가 오는 경우 : 나머지 색칠된 3칸에는 1 또는 2 중 어느 것이나 올 수 있습니다.

따라서 2×2×2=8(가지) 방법이 있습니다.

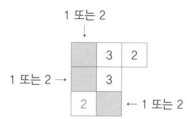

❹ ○표한 부분에 1이 오는 경우 : 옆에서 보았을 때 2가 되어야 하므로 가로로 3째 줄 오른쪽 칸은 2가 되어야 합니다. 또, 가장 왼쪽 세로줄의 색칠해진 두 칸 중에 반드시 2가 하나는 있어야 합니다. 따라서 다음 3가지 경우가 있습니다.

따라서 쌓기나무를 쌓는 방법은 8+3=11(가지)입니다.

쌓기나무를 사용하여 쌓은 모양을 위, 앞, 옆에서 보았을 때의 모양은 다음과 같습니다. 이때 사용된 쌓기나무의 최대 개수와 최소 개수를 각각 구하시오.

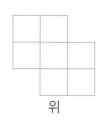

위

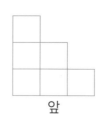

앞

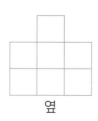

옆

최대 : _____ 개　　최소 : _____ 개

01 쌓기나무로 위와 앞에서 본 모양이 다음과 같게 되도록 쌓으려고 합니다. 물음에 답하 시오.

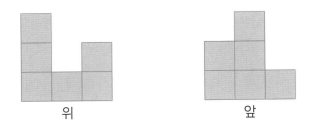

위   앞

(1) 필요한 쌓기나무의 최대 개수를 구하고, 최대 개수로 쌓았을 때, 오른쪽 옆에서 본 모양을 그리시오.

(2) 위에서 본 각 부분의 쌓기나무의 개수를 다음 모양에 써넣고, 최소 개수로 쌓을 수 있는 서로 다른 모양은 모두 몇 가지인지 구하시오. (단, 주어진 사각형을 모두 사용 할 필요는 없습니다.)

02 위, 앞, 오른쪽 옆에서 본 모양이 각각 다음과 같게 되도록 쌓기나무를 쌓으려고 합니다. 쌓기나무를 최소로 사용할 경우와 최대로 사용할 경우의 쌓기나무 개수의 차를 구하시오.

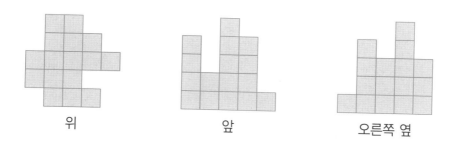

위　　　　　앞　　　　　오른쪽 옆

03 쌓기나무로 쌓은 모양을 위와 앞에서 본 모양이 다음과 같습니다. 오른쪽 옆에서 본 모양은 모두 몇 가지가 가능한지 구하시오.

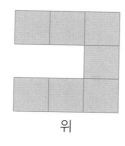

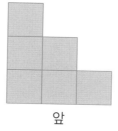

위　　　　　　앞

⁺**01**
_{Plus}
최대한 적은 개수의 쌓기나무를 사용하여 위, 앞, 옆에서 본 모양이 모두 똑같게 쌓으려고 합니다. 모두 몇 개의 쌓기나무가 필요합니까? (단, 2개 이상의 쌓기나무를 사용해야 합니다.)

⁺**02**
_{Plus}
다음은 쌓기나무를 쌓아 만든 모양입니다. 위, 앞, 오른쪽 옆에서 본 모양이 변하지 않도록 쌓기나무를 빼려고 할 때, 최대 몇 개까지 뺄 수 있는지 구하시오.

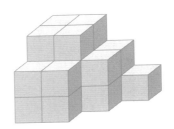

⁺03
Plus

다음 보기 와 같이 주어진 입체도형의 테두리 안에 쌓기나무를 최소로 사용하여 쌓을 수
있는 입체도형을 그리시오.

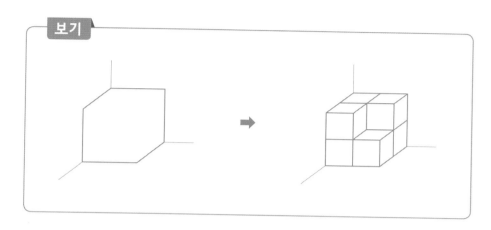

(1)

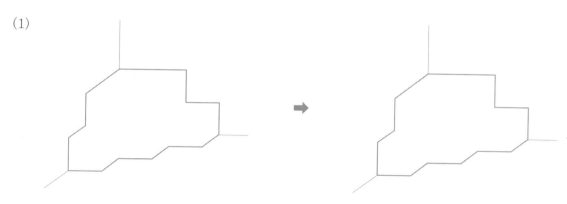

(2)

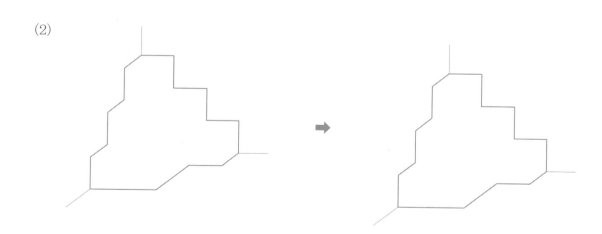

memo

Part 2

창의적 문제해결력 검사

수와 연산 ———————————————————— P. 152

도 형 ———————————————————— P. 157

규칙과 측정 ———————————————————— P. 162

논리와 퍼즐 ———————————————————— P. 167

보기 는 13으로 나눌 때 몫과 나머지가 같게 되는 수를 구한 것입니다.

$$42 \implies 42 \div 13 = 3 \cdots 3$$

$$70 \implies 70 \div 13 = 5 \cdots 5$$

100보다 큰 수 중에서 13으로 나눌 때의 몫과 나머지가 같게 되는 수를 식을 써서 모두 구하시오.

☐ ÷ 13 = ☐ ⋯ ☐

☐ ÷ 13 = ☐ ⋯ ☐

☐ ÷ 13 = ☐ ⋯ ☐

☐ ÷ 13 = ☐ ⋯ ☐

☐ ÷ 13 = ☐ ⋯ ☐

18을 연속하는 수의 합으로 나타내면 다음 2가지 방법이 있습니다.

$$5 + 6 + 7 = 18$$
$$3 + 4 + 5 + 6 = 18$$

45를 연속하는 수의 합으로 가능한 많이 나타내시오.

다음 식에서 A에서 I는 각각 0, 1, 2, 3, 4, 5, 6, 7, 8, 9 중 서로 다른 하나의 수를 나타 냅니다. A에서 I는 각각 어떤 수인지 6가지 경우를 식을 써서 구하시오.

$$
\begin{array}{r}
A\ B\ C\ D \\
-\quad E\ F\ G \\
\hline
H\ I
\end{array}
$$

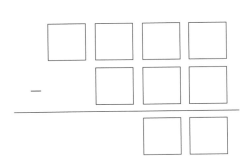

다음은 1부터 9까지의 숫자들을 모두 이용하여 계산 결과가 $\frac{1}{2}$인 식을 만든 것입니다. $\frac{1}{3}$, …, $\frac{1}{8}$, $\frac{1}{9}$이 되는 식을 만들어 보시오.

$$(2 + 4 + 9) \div (1 + 3 + 5 + 6 + 7 + 8) = \frac{1}{2}$$

보기와 같이 1이 아닌 어떤 수가 짝수이면 2로 나누고, 홀수이면 1을 빼는 규칙으로 1
이 될 때까지 계산을 합니다. 이 규칙에 따라 어떤 수를 계산하였더니 나눗셈 4번, 뺄셈
2번을 하여 1이 되었습니다. 어떤 수가 될 수 있는 수를 다음 빈칸을 채워 모두 구하시오.

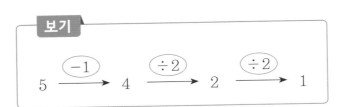

다음은 정사각형을 서로 합동인 16개의 삼각형으로 나눈 후, 그 중 4개의 삼각형에 색칠한 것입니다. 색칠한 부분이 그림과 같이 반으로 접었을 때와 180° 돌렸을 때 똑같은 도형이 되도록 8개의 삼각형을 색칠하여 여러 가지 만들어 보시오. (단, 뒤집거나 돌려서 같은 모양은 한 가지로 봅니다.)

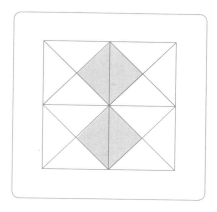

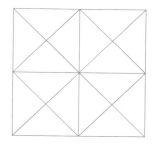 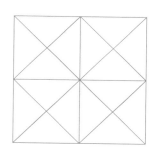 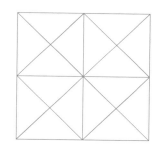

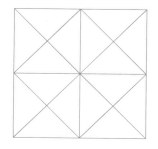 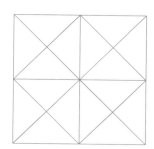 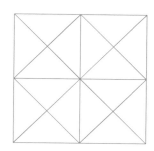

다음과 같이 4개의 정사각형 중 하나는 ★이 그려져 있습니다. ★의 위치가 서로 다른 정사각형을 다른 도형으로 볼 때 4개의 정사각형을 이어 붙여 만들 수 있는 서로 다른 도형의 개수를 구하시오. (단, 돌리거나 뒤집어서 같은 모양은 하나의 도형으로 생각합니다.)

정사각형 모양을 일곱 조각으로 나눈 칠교판입니다. 이 조각들의 전부 또는 일부를 이어 붙여 정사각형이 아닌 직사각형을 만들려고 합니다. 서로 다른 모양을 여러 가지 그리시오. (단, 직사각형 모양이 똑같은 것은 이어 붙이는 방법에 관계없이 한 가지로 봅니다.)

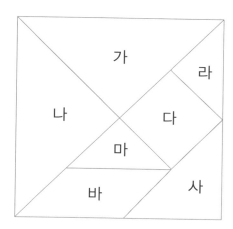

쌓기나무로 쌓은 모양을 위와 앞에서 본 모양은 다음과 같습니다. 오른쪽 옆에서 본 모양을 가능한 많이 그리시오.

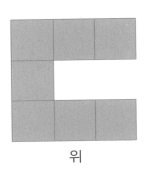
위

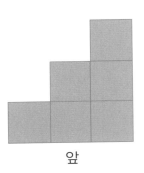
앞

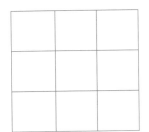

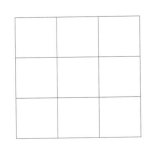

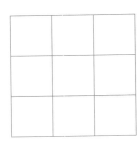

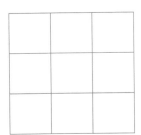

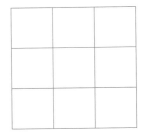

다음은 정팔면체의 겨냥도와 전개도입니다. 전개도의 각각의 면에 1, 2, 3, 4 중 한 숫자를 써넣는데, 한 꼭짓점에 모여 있는 네 개의 면에 1, 2, 3, 4가 모두 있어야 합니다. 그림의 나머지 면에 서로 다른 방법으로 알맞은 수를 써넣으시오.

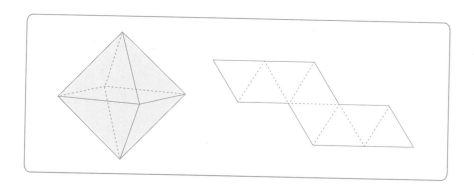

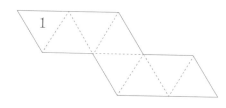

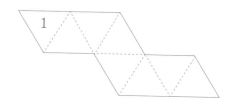

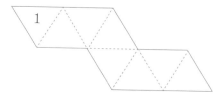

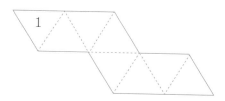

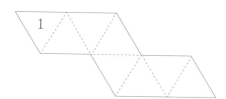

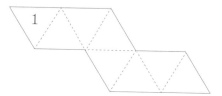

2

단계

영재성
검사

창의적 문제
해결력 검사

다음은 한 칸의 길이가 1인 모눈종이 위에 넓이가 5인 사각형과 십각형을 그린 것입니다.

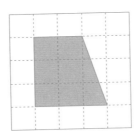 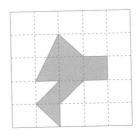

한 칸의 길이가 1인 모눈종이 위에 넓이가 5인 오각형, 육각형, 칠각형, 팔각형, 구각형을 각각 그리시오. (단, 눈금선이 만나는 점을 꼭짓점으로 합니다.)

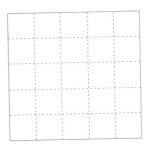  

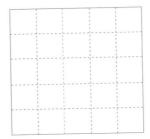 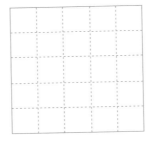

점 사이의 간격이 1cm일 때, 부피가 4cm³인 입체도형을 가능한 많이 그리시오.

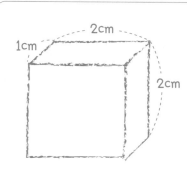 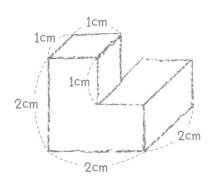

다음에 주어진 개수의 성냥개비를 모두 사용하여 1개의 삼각형을 만들 때, 모양이 서로 다르게 만들 수 있는 모든 경우의 수를 알아보고 **예**와 같이 그 경우를 모두 나타내시오.

성냥개비의 개수(개)	삼각형의 개수(개)	성냥개비 한 개의 길이를 1로 하여 삼각형 그리기
3	1	**예** △ 1, 1, 1
4		
5		
6		
7		
9		
12		

다음 그림에서 점들을 보기 와 같이 모두 이어서 그 도형을 4등분 하려고 합니다. 등분된 작은 도형의 넓이가 모두 3cm²이고 4개 도형이 모두 합동이 되도록 가능한 많이 그리시오. (단, 점과 점 사이의 수직, 수평 간격은 1cm로 일정합니다.)

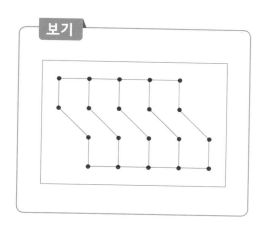

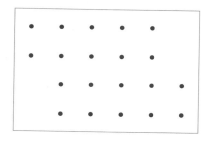

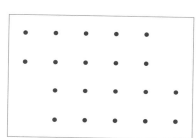

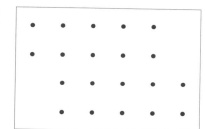

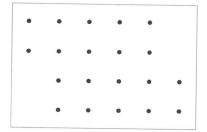

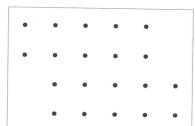

넓이가 $6\,cm^2$이고 둘레의 길이가 $12cm$ 인 도형을 여러 가지 그려 보시오. (단, 돌리거나 뒤집어서 겹치는 모양은 한 가지로 봅니다.)

다음 그림의 출발점에서 출발하여 모든 점을 한 번씩 들른 다음, 다시 출발점으로 돌아오려고 합니다. 가장 빨리 돌아오려면 점들을 어떤 순서로 들러야 하는지 모두 찾으시오. (단, 각 점들은 정오각형의 꼭짓점 위치에 있고, 이동 방향은 출발점을 포함하여 ①, ②, ③, ④점에서만 선을 따라 바꿀 수 있습니다. 따라서 '출발점 – ① – ② – ③ – ④ – 출발점'과 같은 순서는 불가능합니다.)

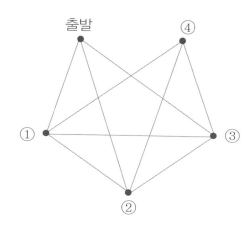

출발점 – ☐ – ☐ – ☐ – ☐ – 출발점

출발점 – ☐ – ☐ – ☐ – ☐ – 출발점

출발점 – ☐ – ☐ – ☐ – ☐ – 출발점

출발점 – ☐ – ☐ – ☐ – ☐ – 출발점

다음 칸에 모두 10개의 ○를 그리려고 합니다. 가로, 세로로 세어 보았을 때 한 줄에 ○가 반드시 2개 또는 4개만 나오게 해야 합니다. 이 조건을 만족하는 경우를 9가지 그려 보시오. (단, 돌리거나 뒤집어서 겹쳐지는 것은 한 가지로 봅니다.)

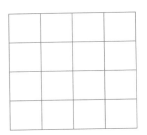
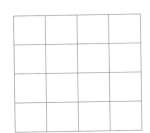
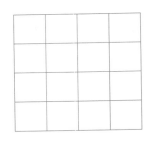

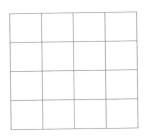
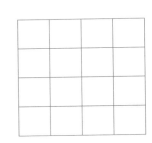
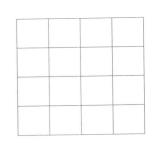

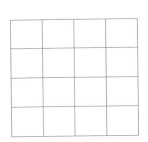
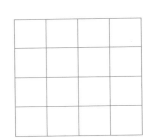
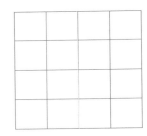

정육면체의 꼭짓점에 1부터 8까지의 수를 한 번씩 넣어, 각 면에 있는 네 수의 합이 모두
같도록 만들어 보시오.

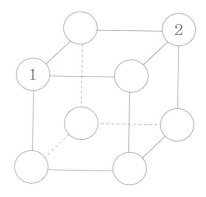
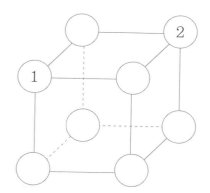

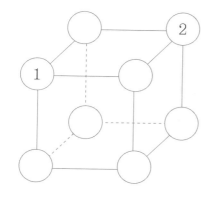
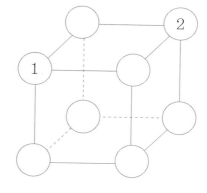

논리와 퍼즐 ④ 가로 · 세로 합 퍼즐

다음 [규칙]에 맞게 블록 퍼즐을 완성하시오.

규칙

- 모든 가로줄과 세로줄에는 1부터 4까지의 수가 한 번씩만 들어갑니다.
- 굵은 선으로 둘러싸인 블록 안에 쓰여 있는 수는 각각의 블록 안에 들어가는 수들의 합을 나타냅니다.
- 굵은 선으로 둘러싸인 블록 안에 같은 수가 들어가지 않습니다.

⁷3	4	⁹2	⁷1
³1	3	4	2
2	⁴1	3	4
⁶4	2	⁴1	3

9	7		
	6		
	6	5	7

다음과 같은 규칙 으로 바둑돌이 놓여 있습니다.

규칙

- 검은 바둑돌의 둘레에는 짝수 개의 검은 바둑돌이 놓여 있습니다.
- 흰 바둑돌의 둘레에는 홀수 개의 흰 바둑돌이 놓여 있습니다.
- 격자판의 테두리에는 같은 수의 검은 바둑돌과 흰 바둑돌이 놓여 있습니다.

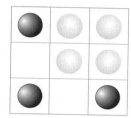

(1) 검은 바둑돌의 개수가 최대로 나오도록 그려 보시오. (단, 빈칸은 얼마든지 넣어도 됩니다.)

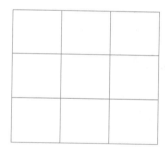

(2) 흰 바둑돌의 개수가 최대로 나오도록 그려 보시오. (단, 빈칸은 얼마든지 넣어도 됩니다.)

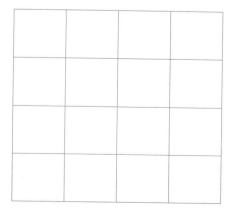

2
단계

영재성
검사

창의적 문제
해결력 검사

3단계는 각 학교에서 추천된 학생들의 학습능력과 창의적 문제해결 능력을 평가합니다. 영재교육기관(영재학급, 영재교육원)은 창의적 문제해결력 수행 관찰 평가를 통해 정원의 1.2 배수를 선발합니다.

(1) 학교에서 이루어지는 정규 시험으로는 평가하기 힘든 창의성 및 사고력 등의 평가

(2) 전형적인 답변보다는 창의적인 아이디어를 바탕으로 문제를 해결하는지 평가

(3) 문제를 정확히 이해하고 주어진 도구를 활용하여 정확한 표현 방식으로 결과를 표현하는지 평가

시 기	일 정	내 용	자 료
12월 중순	포트폴리오 검토	• 단위학교 학교추천위원회로부터 제출 받은 포트폴리오 검토 (최종 영재교육대상자의 1.5 배수 학생 선정)	
	단기 프로젝트 평가	• 창의적 문제해결력 수행 관찰을 통하여 정원의 1.2배수 학생 선정	

단계

3

창의적 문제해결력
수행 관찰

01 크기가 같은 정사각형 2개의 조각으로 이루어진 모양을 **도미노** 모양이라고 합니다.

(1) 도미노 모양의 타일로 다음 5개의 도형 중 만들 수 있는 것을 찾아보시오.

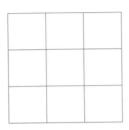

A

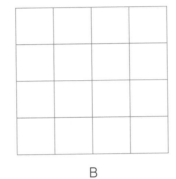

B

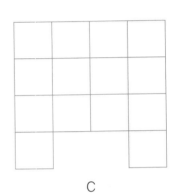

C

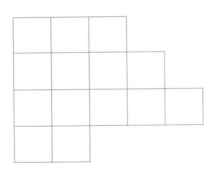

D

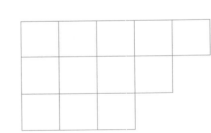

E

(2) (1)의 도형을 보기 와 같이 체스판 모양으로 색칠해 보고, 다음 표를 완성하시오.

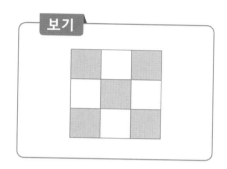

보기

도형	작은 사각형 개수 (개)	흰색 사각형 개수 (개)	검은색 사각형 개수 (개)	흰색 사각형과 검은색 사각형의 개수의 차 (개)	도미노 모양으로 만들 수 있는 가능성
A	9	4	5	1	없다
B					
C					
D					
E					

(3) 위의 표에서 발견한 사실을 이용하여 도미노 타일로 만들 수 없는 모양과 만들 수 있는 모양에 대하여 설명해 보시오.

02 보기와 같이 가로줄 또는 세로줄에 놓인 칩을 동시에 뒤집어 모든 칩을 같은 면으로 바꾸려고 합니다. 바꿀 수 없는 경우를 모두 찾고, 그 이유를 설명하시오.

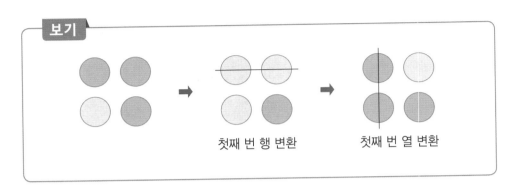

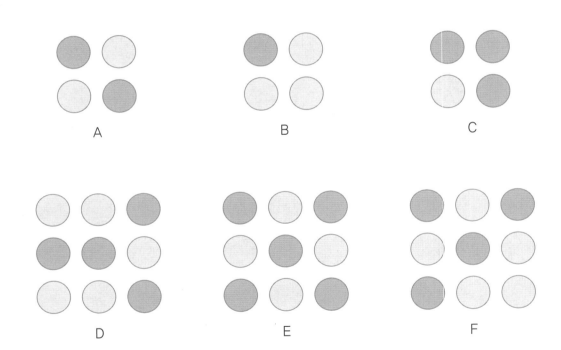

강의 Note

⬛ **패리티**

패리티(parity)는 홀수와 짝수가 갖는 성질을 말합니다.

한 번에 한 장의 카드를 정해진 횟수만큼 뒤집어 카드의 앞·뒷면을 예상하는 카드 뒤집기 문제는 패리티를 이용하여 간단히 해결할 수 있는 대표적인 문제입니다.

❶ 카드가 1장인 경우

   (1) 짝수 번 뒤집기 : 처음과 같은 면

   (2) 홀수 번 뒤집기 : 처음과 다른 면

❷ 카드가 2장인 경우

   (1) 짝수 번 뒤집기 : 2장의 카드는 서로 같은 면

홀수와 짝수의 성질

(짝수) = (짝수) + (짝수)
(짝수) = (홀수) + (홀수)

   (2) 홀수 번 뒤집기 : 2장의 카드는 서로 다른 면

홀수와 짝수의 성질

(홀수) = (홀수) + (짝수)
(홀수) = (짝수) + (홀수)

빛이 거울에 반사될 때에는 들어오는 각도(입사각)와 나가는 각도(반사각)가 같은데 이것을 **반사의 법칙**이라고 합니다.

01 **보기**와 같이 빛의 경로를 각각 그려 거울에 반사되는 횟수를 구하고, 숨어 있는 원리를 알아봅시다.

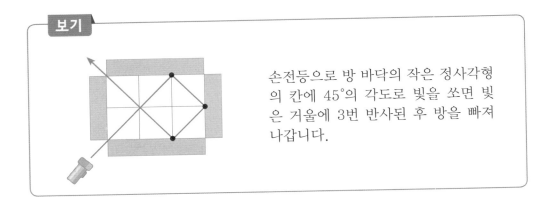

손전등으로 방 바닥의 작은 정사각형의 칸에 45°의 각도로 빛을 쏘면 빛은 거울에 3번 반사된 후 방을 빠져 나갑니다.

(1)

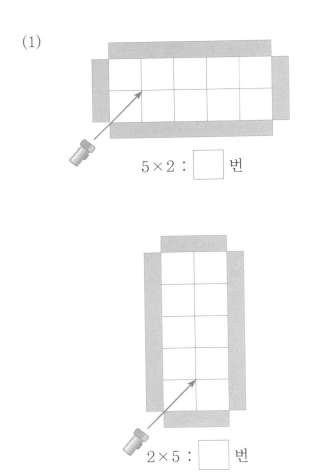

5×2 : ☐ 번

2×5 : ☐ 번

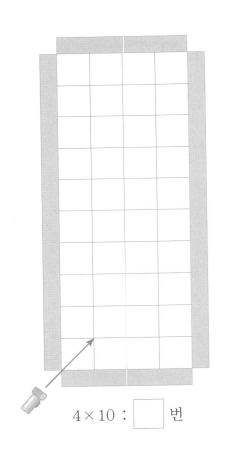

4×10 : ☐ 번

(2)

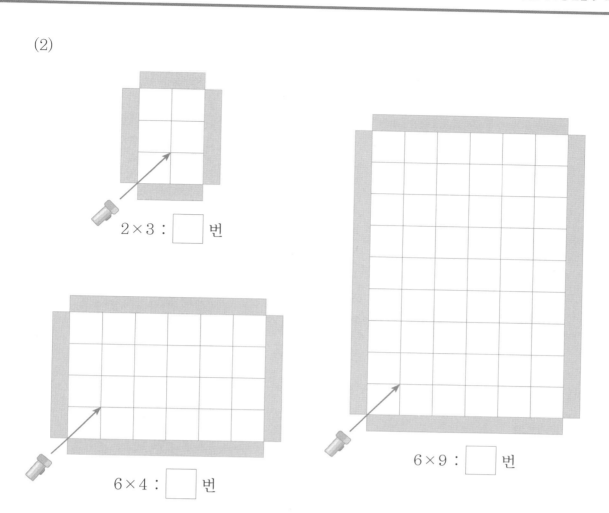

2×3 : ☐ 번

6×4 : ☐ 번

6×9 : ☐ 번

(3) (1), (2)번에서 각각 빛이 반사되는 횟수가 같은 이유에 대해 설명하시오.

02 60×36칸에서 빛을 쏘면 거울에 몇 번 반사되는지 구하시오.

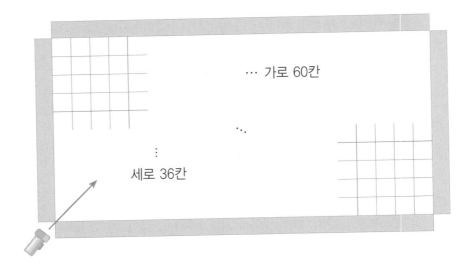

… 가로 60칸

세로 36칸

강의 Note

빛이 지나가는 칸 수 구하기

빛의 반사를 이용하는 또 다른 문제에는 빛이 지나가는 방 바닥의 칸의 개수를 구하는 문제도 있습니다.

다음은 서로 다른 3종류의 방에 빛을 비추었을 때 빛이 지나가는 칸의 개수를 구한 것입니다.

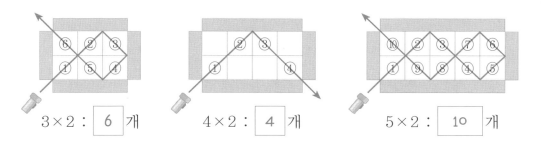

3×2 : ⬚6⬚ 개 4×2 : ⬚4⬚ 개 5×2 : ⬚10⬚ 개

답은 어떻게 나온 것일까요? 여기에는 최소공배수의 원리가 숨어 있습니다. 3×2의 경우에서 오른쪽 거울을 기준으로 빛이 반사된 후의 모습을 방을 이어 붙여(거울 대칭)그려 보면 빛의 반사 문제를 좀 더 쉽게 해결할 수 있습니다.

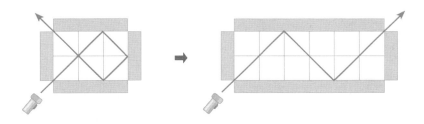

빛은 2칸(세로의 칸 수)마다 위 아래의 거울에 부딪히며 동시에 가로로 2칸씩 이동하는 것을 알 수 있습니다. 따라서 빛이 방을 빠져나가려면 가로의 칸 수인 3의 배수 중 처음으로 2의 배수인 수, 즉 3과 2의 최소공배수 6칸만큼 이동해야 합니다.

(빛이 지나가는 칸의 수) = (가로 칸의 수)와 (세로 칸의 수)의 최소공배수

점 사이의 간격이 일정한 점판과 점의 개수를 이용하면 도형의 넓이를 구할 수 있습니다.

01 다음 도형의 넓이를 구해 보고 그 원리를 알아봅시다.

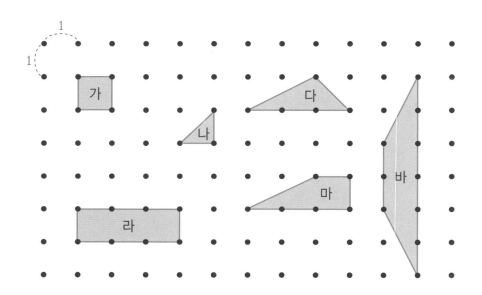

(1) 표를 완성하시오.

도형	가	나	다	라	마	바
둘레 위의 점의 개수(개)	4					
도형의 넓이	1					

(2) 둘레 위의 점의 개수와 다각형의 넓이 사이의 관계를 식으로 나타내어 보시오.

(다각형의 넓이) = (둘레 위의 점의 개수) ÷ ☐ − ☐

02 내부에 점이 있는 도형의 넓이를 구해 보고 그 원리를 알아봅시다.

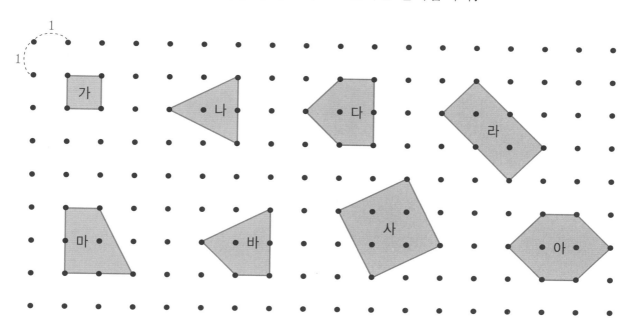

(1) 표를 완성하시오.

도형	가	나	다	라	마	바	사	아
둘레 위의 점의 개수(개)	4							
내부의 점의 개수(개)	0							
도형의 넓이	1							

(2) 둘레 위의 점의 개수, 내부의 점의 개수와 다각형의 넓이 사이의 관계를 식으로 나타내어 보시오.

(다각형의 넓이) = ☐ ÷ 2 + ☐ − 1

03 앞에서 발견한 원리를 이용하여 주어진 넓이를 갖는 다각형을 그리시오.

(1) 넓이가 5인 오각형

(2) 넓이가 6인 육각형

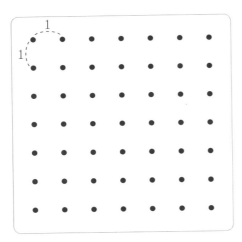

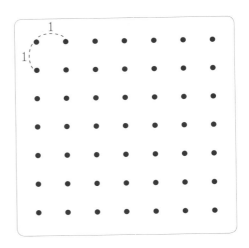

(3) 넓이가 7인 칠각형

(4) 넓이가 8인 팔각형

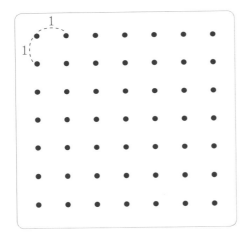

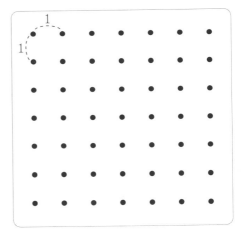

강의 Note

구멍이 뚫린 도형의 넓이 구하기

픽(Pick)의 정리를 응용하면 내부에 구멍이 뚫린 도형의 넓이도 쉽게 구할 수 있습니다.

> (다각형의 넓이) = (도형의 둘레 위의 점의 개수) ÷ 2
> + (도형 내부의 점의 개수) + (구멍의 개수) − 1

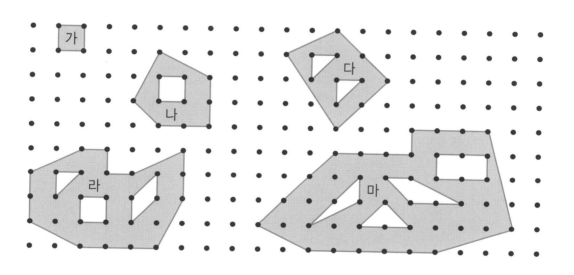

도형	가	나	다	라	마
둘레 위의 점의 개수(개)	4	11	12	25	37
내부의 점의 개수(개)	0	0	0	2	8
구멍의 개수(개)	0	1	2	3	4
색칠된 부분의 넓이	1	$5\frac{1}{2}$	7	$16\frac{1}{2}$	$29\frac{1}{2}$

01 주어진 스피너를 돌려 A, B, C가 나올 확률을 알아보려고 합니다.

(1) 다음 스피너를 돌렸을 때, 알 수 있는 사실을 설명해 보시오.

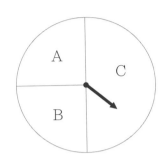

・A와 B가 나올 확률이 같습니다.

(2) 주어진 조건을 만족하는 스피너를 만들어 보시오.

・A와 B는 나올 확률이 같습니다.
・C는 B보다 나올 확률이 3배 높습니다.

・A는 C보다 나올 확률이 3배 높습니다.
・B는 A보다 나올 확률이 2배 높습니다.

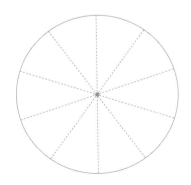

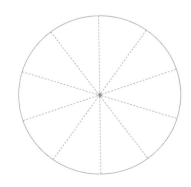

02 다음 스피너를 이용하여 민성이와 은선이가 게임을 하려고 합니다.

민성

은선

(1) 각자 자신의 스피너를 돌려 화살표가 멈춘 칸의 수를 비교하여 큰 수가 나온 사람이 이긴다고 할 때, 다음 표를 완성하여 누가 이길 확률이 더 큰지 설명하시오.

은선＼민성	1	5	8
2	은선		
4			
9			

(2) 은선이의 스피너에 알맞은 수를 넣어 공정한 게임이 되도록 만들고, 방법을 설명하시오.

민성

은선

03 선생님이 여러분과 다음의 규칙 으로 게임을 하면 항상 이길 수 있다고 합니다. 선생님의 필승 전략을 찾아 설명하시오.

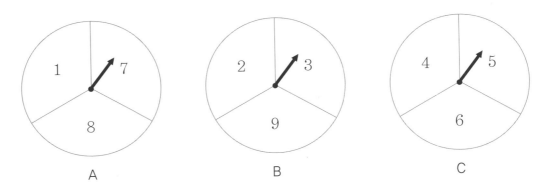

A   B   C

규칙

1. 먼저 여러분 중에서 한 명이 스피너 A, B, C 중에서 1개를 고르면, 선생님이 남은 스피너 2개 중에서 1개를 고릅니다.

2. 각자 선택한 스피너를 돌려 큰 수가 나온 사람이 이깁니다.

3. 20번 돌려 가장 많이 이긴 사람이 최종 승자가 됩니다.

필승 전략

강의 Note

에프론 주사위

다음은 미국의 에프론(B.Efron)이 설계한 주사위 세트입니다.

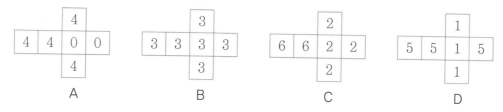

두 사람이 4개의 주사위 중에서 각자 1개씩 주사위를 선택하여 큰 수가 나오는 사람이 이기는 게임을 할 때, 어떤 주사위를 선택하여 게임을 하는 것이 유리한지 알아보면 다음과 같습니다.

❶ A와 B 주사위로 게임을 하는 경우

B＼A	4	4	4	4	0	0
3	A	A	A	A	B	B
3	A	A	A	A	B	B
3	A	A	A	A	B	B
3	A	A	A	A	B	B
3	A	A	A	A	B	B
3	A	A	A	A	B	B

➡ A 주사위가 유리 (A:24번, B:12번)

❷ B와 C 주사위로 게임을 하는 경우

C＼B	3	3	3	3	3	3
6	C	C	C	C	C	C
6	C	C	C	C	C	C
2	B	B	B	B	B	B
2	B	B	B	B	B	B
2	B	B	B	B	B	B
2	B	B	B	B	B	B

➡ B 주사위가 유리 (B:24번, C:12번)

❸ C와 D 주사위로 게임을 하는 경우

D＼C	6	6	2	2	2	2
5	C	C	D	D	D	D
5	C	C	D	D	D	D
5	C	C	D	D	D	D
1	C	C	C	C	C	C
1	C	C	C	C	C	C
1	C	C	C	C	C	C

➡ C 주사위가 유리 (C:24번, D:12번)

❹ D와 A 주사위로 게임을 하는 경우

A＼D	5	5	5	1	1	1
4	D	D	D	A	A	A
4	D	D	D	A	A	A
4	D	D	D	A	A	A
4	D	D	D	A	A	A
0	D	D	D	D	D	D
0	D	D	D	D	D	D

➡ D 주사위가 유리 (D:24번, A:12번)

즉, 가위바위보 놀이와 같이 A 주사위는 B 주사위에 대해, B 주사위는 C 주사위에 대해, C 주사위는 D 주사위에 대해, 다시 D 주사위는 A 주사위에 대해 유리하다는 것을 알 수 있습니다.

창의적 문제해결 ⑤ 님게임

01 두 사람이 주어진 <규칙> 으로 게임을 한다고 할 때, 반드시 이길 수 있는 방법을 설명하시오.

> **규칙**
>
> - 두 사람이 번갈아가며 나뭇잎을 뗍니다.
> - 자기 차례에 한 번에 여러 개의 나뭇잎을 뗄 수 있습니다.
>   단, 한쪽 방향의 나뭇잎만 떼어야 합니다.
> - 마지막 나뭇잎을 떼는 사람이 이깁니다.

(1) 나뭇잎 5개

반드시 이기는 방법

(2) 나뭇잎 6개

반드시 이기는 방법

02 두 사람이 주어진 규칙으로 게임을 한다고 할 때, 반드시 이길 수 있는 방법을 설명하시오.

규칙

• 두 사람이 번갈아가며 두 접시 중 한 접시에서만 1개 또는 2개의 구슬을 가져갈 수 있습니다.

• 마지막 구슬을 가져가는 사람이 이깁니다.

A   B

(1) 먼저 A접시에서 구슬을 가져가는 경우

반드시 이기는 방법

(2) 먼저 B접시에서 구슬을 가져가는 경우

반드시 이기는 방법

03 두 사람이 주어진 규칙으로 게임을 한다고 할 때, 반드시 이길 수 있는 방법을 설명하시오.

규칙

- 두 사람이 번갈아가며 둥근 테이블 위에 동전이 포개지지 않도록 1개씩 놓습니다.
- 동전을 놓을 자리가 없어서 동전을 놓지 못하는 사람이 집니다.

반드시 이기는 방법

강의 Note

님게임(Nim Game)

❶ 님게임의 유래

Nim이라는 말은 '가져간다'라는 뜻을 가진 옛 영어의 nim(가져간다)에서 유래되었다고 하기도 하고, WIN을 거꾸로 돌린 모양에서 NIM이 유래되었다고 하기도 합니다.

님게임은 게임 자체보다는 규칙을 분석하여 전략을 알아내는 데 즐거움이 있기 때문에 오늘날 수학적 전략 게임의 한 장르로 연구되어지고 있는 분야입니다.

❷ 님게임의 승리 전략

님게임에서 이기기 위해서는 마지막 이기는 상태를 가정하여 거꾸로 이기는 상태를 찾아가면 됩니다.

구슬이 7개 있고, 1번 구슬부터 한 번에 구슬을 1개 또는 2개를 가져올 수 있고, 마지막 구슬을 가져가는 사람이 이기는 게임의 경우 다음과 같이 이기는 구슬을 찾을 수 있습니다.

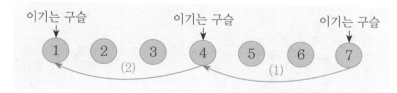

(1) 7번 구슬을 가져오기 위해서는 내 차례에 반드시 4번 구슬을 가져와야 합니다.

→ 이후 상대가 5번 구슬을 가져가면 나는 6, 7번 구슬을 가져옵니다.

→ 이후 상대가 5, 6번 구슬을 가져가면 나는 7번 구슬을 가져옵니다.

(2) 4번 구슬을 가져오기 위해서는 내 차례에 반드시 1번 구슬을 가져와야 합니다.

→ 이후 상대가 2번 구슬을 가져가면 나는 3, 4번 구슬을 가져옵니다.

→ 이후 상대가 2, 3번 구슬을 가져가면 나는 4번 구슬을 가져옵니다.

따라서 이 게임에서 반드시 이기기 위해서는 먼저 게임을 시작하여 1번 구슬 1개를 가져와야 합니다.

4단계는 면접관이 학생들과 직접 대면하여 평가하는 방법으로 학생들의 특성을 역동적이고 다면적으로 파악하여 평가합니다. 기존에 수집된 정보로 확인된 학생의 특성을 재검증하기 위한 수단이며 학생들의 특성을 심층적으로 파악합니다.

⑴ 인성, 학문적성, 창의성, 과제집착력 등 4개 유형을 종합 평가
⑵ 지원자의 해당 분야에 대한 관심과 열정을 가늠하고 대화를 통해 대인관계까지 파악
⑶ 지원자의 논리적인 표현 방식과 말하는 태도 등 평가
⑷ 평소 관심 있어 하는 분야나 포트폴리오(결과보고서 혹은 자기소개 등)에 대한 주도적이고 자신감 있는 태도 파악
⑸ 2013학년도 선발 전형부터 점수 부여

시 기	일 정	내 용	자 료
12월 말	의사소통 평가	• 심층 면접 문항 개발 및 평가 실시	선발도구 4-1
	영재교육 대상자 선정	• 영재교육대상자 최종 선정 및 발표 • 최종 영재교육대상자에 대한 영재교육 실시	

단계

4

인성 및 심층 면접

1. 면접자료

면접 자료

이름		소속학교		학년	
지원과정			지원분야		

이 자료는 면접 평가 참고 자료이며, 면접관이 질문할 내용을 포함하고 있습니다. 지원자는 아래의 질문에 대하여 구체적인 사례를 중심으로 자신의 생각이나 경험했던 사실을 바탕으로 답변을 적어두시기 바랍니다.

---

1. 30년 후에 나는 어떤 직업을 갖고 있을까요? 그 직업이 다른 사람에게 어떤 도움을 줄 수 있는지 3가지 이상 말해 보시오.

2. 사각형 운동장과 타원형 운동장이 있습니다. 두 운동장의 좋은 점과 나쁜 점을 비교하여 말해 보시오.

3. 무인도에 5가지 물건을 가지고 갈 수 있습니다. 이때 가지고 갈 물건 5가지는 무엇이며, 가지고 가려는 이유를 구체적으로 설명해 보시오.

4. 자신이 지원한 분야와 관련하여 흥미를 가지고 오랫동안 집중해서 한 일은 무엇입니까? 그때의 느낌은 어땠는지 말해 보시오.

영재교육 대상자 선발의 마지막 단계는 면접입니다. 면접을 통해 인성뿐만 아니라 사교육에 의한 선행학습 요인을 배제하고, 창의성과 과제집착력 등 보다 다양한 학생의 특성을 확인하게 됩니다.

01 면접 방법

영재교육 대상자 선발을 위한 면접은 개별 심층 면접으로 질문지 등을 활용한 방식으로 진행됩니다.

02 면접 과정

수험생은 면접 고사장에 들어가기 전 면접 준비실에서 주어진 시간동안 문항지를 보고 답안을 미리 생각한 후 면접에 참여합니다.

1. 면접 대기실

수험생은 감독 위원의 지시가 있을 때까지 대기실에서 기다립니다.

2. 면접 준비실

감독 위원의 지시에 따라 면접 준비실로 이동한 후 주어진 시간 동안 문항지를 보고 답안을 미리 생각합니다.

3. 면접 고사장

정해진 시간 동안 미리 생각한 답안을 면접 위원에게 설명합니다.

| **인성** | 인성은 학생의 사고와 태도 및 행동 특성을 파악하기 위한 문항입니다.

Q1. 다음 글을 읽고 선생님, 정훈이와 우찬이 행동의 본받을 점을 한 가지씩 이야기해 보시오.

> 우찬이는 얼마 전 복도에서 넘어져 한쪽 팔을 다친 친구입니다. 심술궂은 아이들이 우찬이의 모습을 흉내 내며 계속 놀렸습니다. 그러던 어느 날, 화를 참지 못한 우찬이는 놀리는 아이들을 향해 필통을 던졌습니다. 필통은 마침 교실로 들어오시던 선생님의 몸에 맞았습니다. "아야! 누가 필통을 던졌어?"하는 선생님의 화난 물음에 갑자기 교실이 조용해졌습니다.
>
> 한동안 침묵이 흐른 후, 한 친구의 목소리가 들렸습니다. "제가 그랬습니다." 항상 친절하고 의젓하게 행동하던 정훈이가 일어서며 말했습니다. 아이들은 어리둥절해졌습니다. 그러자, 우찬이가 "아닙니다. 선생님, 제가 그랬습니다. 놀림을 받고 화를 참지 못했습니다."라고 솔직하게 일어서서 말했습니다. 선생님은 정훈이의 배려하는 마음을 칭찬하며 우찬이의 실수를 너그럽게 용서하셨습니다. 장난을 쳤던 아이들도 크게 부끄러워하며 우찬이에게 사과했습니다.

Q2. 자신이 존경하는 인물이 누구입니까? 그 사람에게 본받을 점을 설명해 보시오.

Q3. 실험 보고서를 같이 하는데 친구가 지쳐있으면 어떻게 위로하여 같이 하겠습니까?

Q4. 30년 후에 나는 어떤 직업을 갖고 있을까요? 그 직업이 다른 사람들에게 어떤 도움을 줄 수 있는지 3가지 이상 말해 보시오.

Q5. 생활 속에서 작은 실천을 통해 다른 이에게 이로움을 줄 수 있는 선행의 사례를 3가지만 제시하시오.

Q6. 자신의 장점을 설명하고, 영재교육원에 합격하게 된다면 어떻게 활동할 것인지 자신의 장점과 연관 지어 말해 보시오.

Q7. 자신의 꿈을 실현하기 위한 방법을 5가지만 말해 보시오.

Q8. 학급 일을 방해하는 친구가 있다면 어떻게 할 것인지 말해 보시오.

4
단계

| 학문적성 | 창의적 문제해결 수행과 관련 있는 학문적 지식을 확인하는 문항입니다.

Q1. 생활 속에서 분수의 덧셈과 뺄셈이 이용되는 경우를 찾아 문제를 만들고, 풀이 과정을 설명하시오.

Q2. 다음 두 그림 A, B를 보고, 그림 B에는 없고 그림 A에만 있는 규칙을 아는 대로 모두 말해 보시오.

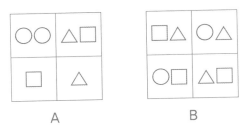

A   B

Q3. 숫자가 실생활에서 이용되는 예를 4가지 말해 보시오.

Q4. 수학책의 길이를 알고 있을 때, 학교의 높이를 어림할 수 있는 다양한 방법을 생각해 설명해 보시오.

Q5. 공 9개를 2개 또는 3개의 바구니에 나누어 담으려고 합니다. 이때 각각의 바구니에 담는 공의 수는 오른쪽으로 갈수록 많아져야 합니다. 공 9개를 나누어 담는 서로 다른 방법을 모두 말해 보시오.

[공 3개를 2개의 바구니에 담는 방법]
– 바른 예 : (1개, 2개)
– 틀린 예 : (2개, 1개), (0개, 3개)

Q6. 사각형 운동장과 타원형 운동장이 있습니다. 두 운동장의 좋은 점과 나쁜 점을 비교하여 말해 보시오.

참고 「2단계 Part 2 창의적 문제해결력 검사」, 「3단계 창의적 문제해결력 수행 관찰」과 유사한 문항이 출제되고 있습니다.

창의성 | 영재의 중요한 특성 중의 하나인 창의성을 확인하는 문항이다.

Q1. 전기난로는 전류를 흘려 발생하는 열로 실내의 온도를 따뜻하게 해줍니다. 하지만 편리한 만큼 위험성도 안고 있기 때문에 사용과 관리에 있어 안전을 우선 고려해야 합니다. 아래 제시된 사진을 보고 전기난로에 적용할 수 있는 안전 장치들을 5가지 이상 제시하시오.

Q2. 목욕탕의 물을 이용하여 내 몸무게를 측정하는 방법을 3가지 말해 보시오.

Q3. 주변 물건 중 1개를 선택하고 그 물건이 가질 수 있는 용도를 최대한 많이 말해 보시오.

Q4. 무인도에 5가지 물건을 가지고 갈 수 있습니다. 이때 가지고 갈 물건 5가지는 무엇이며, 가지고 가려는 이유를 구체적으로 설명해 보시오.

참고 「2단계 Part 1 영재성 검사」와 유사한 문항이 출제되고 있습니다.

과제집착력 | 창의적 수행 과정과 관련된 문항으로 과제집착력을 확인하는 문항이다.

Q1. 자신이 지원한 분야와 관련하여 흥미를 가지고 오랫동안 집중해서 한 일은 무엇입니까? 그때의 느낌은 어땠는지 말해 보시오.

Q2. 친구와 함께 내일까지 자유 탐구 보고서를 제출해야 합니다. 친구가 미룬다면 나는 어떻게 할 것인지 말해 보시오.

Q3. 친구와 몇 시간동안 실험을 했는데 10번을 실패하였습니다. 그때 친구가 도저히 안되겠다며 그만하자고 합니다. 어떻게 하겠습니까?

memo

memo

memo

팩토
영재성검사
창의적
문제
해결력

수학

— 정답과 풀이 —

중등
1 ~ 2
학년

 매스티안

창의성 **①** 상징 그림 그리기 ———————————————————————— P. 052

연습하기 P. 055

01 |문제 개요| 주어진 여러 가지 표지판을 보고, 자기만의 독특한 뜻과 이유를 찾아내는 연습을 하는 문제입니다.

|답안 예시|

표지판	뜻	이유	원래의 뜻
	모이시오.	사람들에게 모이라고 화살표가 지시합니다.	대피소 (비상시 대피소를 알림)
	기다리지 마시오.	기다리는 모습에 금지의 표시 (◯)가 있습니다.	문에 기대지 마시오.
	문을 억지로 열지 마시오.	닫힌 문을 억지로 여는 모습에 금지의 표시(◯)가 있습니다.	문이 닫힐 때 뛰어들지 마시오.
	인형을 들고 오지 마시오.	곰인형을 들고 있는 사람에게 금지의 표시(◯)가 있습니다.	어린이 금지
	춤을 추시오.	덩실덩실 춤을 추는 모습입니다.	미끄럼 주의
	비행기 이·착륙방향	비행기의 이·착륙은 화살표 방향으로 하라는 표시입니다.	사용 후 전원 차단

|Point|

❶ 주어진 여러 가지 표지판은 실제로 사용되고 있는 것입니다. 이 문제에서는 실제 표지판의 뜻을 정확히 쓰려고 노력하기 보다는 자기만의 독특한 표지판의 뜻을 생각해 보아야 합니다.

❷ 생각이 너무 독특하여 표지판과 뜻이 쉽게 연결되지 않는 경우에는 표지판을 설명하는 이유를 논리적으로 자세히 적어야 합니다.

02 |문제 개요| 문장을 글과 그림이 어우러진 독창적인 문장으로 만드는 연습을 하는 문제입니다.

|답안 예시| (1)

(2)

|Point| 문장의 낱말을 상징적인 그림으로 나타낼 때, 다음을 주의합니다.

❶ 그림을 보고, 그 낱말이 가리키고 있는 뜻을 알 수 있어야 합니다. 따라서 너무 주관적인 그림을 그려서는 안됩니다.

❷ 가능한 낱말을 단순히 설명하는데 그친 그림보다는 좀 더 독창적인 그림을 그리도록 합니다.

|문제 개요| 일기를 글과 그림이 어우러진 독창적인 문장으로 표현하는 연습을 하는 문제입니다.

|답안 예시|

> 2010년 9월 22일 날씨 : 맑음
>
> 오늘 꿈 속에서 내가 해적 왕이 되어 바다 괴물과 싸워 이겼다.
>
>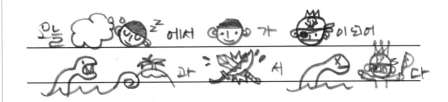
>
> 그리고 배를 타고 온 바다를 돌아다니다가 바위에 부딪혀서 배가 부서졌다.
>
>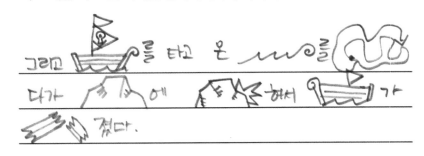
>
> 나는 바다에 빠져 허우적 거리다가 놀라서 깨어 보니 이불에 지도가 그려져 있었다.
> 그래서 엄마에게 꾸중을 들었다.
>
>

|Point| 낱말을 상징적인 그림으로 나타낼 때, 다음을 주의합니다.

❶ 그림을 보고, 그 낱말이 가리키고 있는 것을 알 수 있어야 합니다. 따라서 너무 주관적인 그림을 그려서는 안됩니다.

❷ 가능한 낱말을 단순히 설명하는데 그친 그림보다는 좀 더 독창적인 그림을 그리도록 합니다.

01 |문제 개요|　여러 가지 상황이나 감정을 상징적인 그림으로 표현하는 문제입니다. (12점)

|답안 예시|

|Point|

❶ 상징이라는 것은 단순히 주어진 문장을 그림으로 알기 쉽게 표현하는 것이 아닙니다.
가능한 비유적으로 대상을 간략하고 알기 쉽게 표현하여야 합니다.

❷ 위의 답안 예시에서 지각과 질투는 너무 상세한 상황을 설명하고 있어 좋은 답안이 아닙니다.

❸ 다음 기준에 따라 문항별로 각각 채점합니다.

기준	점수
그림이 낱말을 독창적인 방법으로 상징적으로 표현한 경우	2점
그림이 낱말을 너무 상세한 상황으로 묘사한 경우	1점

02 |문제 개요| 선을 사용하여 여러 가지 의미를 표현하는 문제입니다. (16점)

|답안 예시|

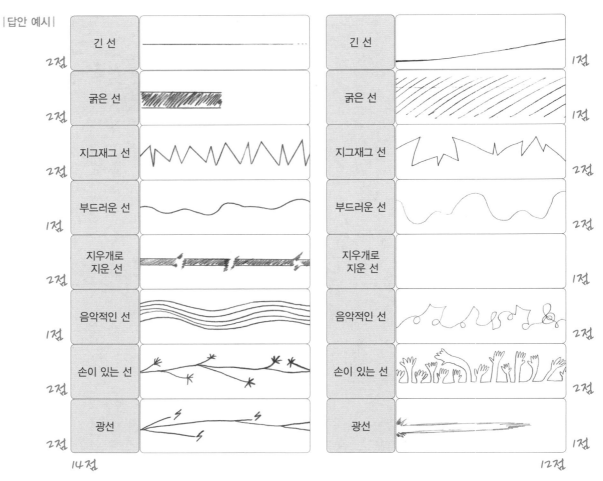

|Point|

❶ 추상화는 선, 도형 등과 같이 기본적인 요소로 여러 가지 감정이나 정서를 표현하는 것입니다. 단순히 선 하나만으로도 많은 감정과 의미를 표현할 수 있습니다.

❷ 왼쪽의 '음악적인 선'과 오른쪽의 '광선'은 그 의미가 정확하게 전달되지 않아 좋은 답안이 아닙니다.

❸ 다음 기준에 따라 문항별로 각각 채점합니다.

기준	점수
주어진 의미를 독창적 아이디어로 잘 표현한 경우	2점
주어진 의미를 명확하게 표현하고 있지 못하는 경우	1점

연습하기 P. 063

01 |문제 개요| 우산과 휴대폰의 부품들을 결합하여 새로운 물건을 만들어 내는 연습을 하는 문제입니다.

|답안 예시| (1)

우산		
부품	모양	재료
손잡이	❘/ㄴ	고무, 플라스틱
우산대	❘	쇠
우산머리	⌒	천비닐

휴대폰		
부품	모양	재료
액정	▯	플라스틱
키패드	▦	플라스틱
몸체	⬚	플라스틱
마이크 스피커	◉	자석, 철사

(2)

> • 우산대에 휴대폰 버튼, 마이크, 스피커를 넣고, 꼭대기에 안테나를 달아 비오는 날 전용 휴대폰을 만든다.
> • 휴대폰 액정을 우산대에 고정시켜 우산을 쓰고 갈 때 뒤를 확인할 수 있게 한다.
> • 휴대폰이 잘 안 터지는 지역에서 휴대폰에 우산살을 달아 안테나가 잘 터지게 한다.

|Point| 용도 발명은 주어진 물건을 사용하여 남들이 쉽게 생각하지 못하는 용도를 찾아내는 것입니다. 따라서 각 물건을 분해했을 때 각 부품들의 재료와 기능을 알아내고, 여러 가지 방법으로 기능들을 결합해 새로운 용도의 물건을 만들도록 해야 합니다.

02 |문제 개요| 다음 기준에 따라 기존 제품을 개선하여 만든 신제품을 찾아보는 연습을 하는 문제입니다.

|답안 예시|

기준	기존 제품	변화	신제품
불편한 점 개선	고무장갑	미끄러운 불편 개선	돌기 달린 고무장갑
	여닫이문	손으로 여닫는 불편 개선	자동문
빼기	주스	당분 빼기	무가당 주스
	전화기	전화선 빼기	무선 전화기
반대로 하기	화장품 용기	반대로 생각	거꾸로 세운 화장품 용기
	양말	반대로 생각	장갑
크게 하기	그네	크게 하기	바이킹
	바람개비	크게 하기	풍차, 풍력 발전기
고정된 것 움직이기	선풍기	움직이게 하기	좌우회전 선풍기
	세면대	움직이게 하기	샤워기, 높이 조절 세면대

|Point| 우리가 생활에서 사용하고 있는 물건들이 어떤 필요성에서 만들어졌는지 생각해 봅니다.

03 |문제 개요| 주어진 상황에 맞는 발명품을 자유롭게 만드는 연습을 하는 문제입니다.

|답안 예시|

그림	이름	기능
	공기 배달기	공기가 있는 우주 세계로 이동시켜 주거나, 우주에 있는 공기를 배달해 오는 우주선이다.
	공기 약초	약초를 먹으면 몸 속에서 약초가 공기로 바뀐다.
	시간 저축 모래 시계	공기가 없는 5분 동안 아무 것도 할 수 없으므로, 시간을 저축하였다가 필요할 때 어느 때든 쓸 수 있게 해 준다.
	공기로 교체기	어떤 물건이던지 공기로 바꿔주는 기계이다. 쓸모 없는 기계, 쓰레기를 집어 넣더라도 신선한 공기로 교체된다.

|Point|

❶ 주어진 상황을 효과적으로 개선시킬 수 있는 방향으로 물건의 용도를 발견하여야 합니다.

❷ 상황과 관계가 없는 용도로 물건을 발명한 경우에는 아이디어로 인정 받을 수 없습니다.

실전문제

01 |문제 개요| 여러 가지 도형을 결합하여 화성에서 필요한 물건을 발명하는 문제입니다. (5점)

|답안 예시|

그림	이름	설명
V 1.	doctor 박스	화성에서 살다가 갑자기 숨쉬기 힘들 때나 아플 때 버튼을 누르면 의사처럼 박스가 로봇이 되어 치료해 준다.
V 2.	띨띨 로봇	우리들이 먹을 식량이 부족할 때, '~를 달라'고 하면 원하는 것을 만들어 준다.
V 3.	watch 박스	화성에서 TV가 없을 때 이 상자가 갑자기 큰 건물만한 TV로 변신해 많은 사람에게 TV를 보여준다.
V 4.	speed 신발	지구온난화 때문에 기차가 없을 때 이 신발만 신으면 멀리 떨어진 곳까지 1초만에 갈 수 있다.
V 5. ⇒	water 머신	사람들이 물을 먹으려고 할 때 박스의 별 모양 표시를 누르면 작은 상자에서 물이 나온다.

아이디어(5개) : 5점

|Point| ❶ 문제의 상황과 밀접한 관련이 있는 발명품을 만들어야 합니다. 즉, 화성에 이주하여 생활하는데 필요한 발명품을 만들어야 합니다.

❷ 아이디어의 개수에 따라 채점합니다.

아이디어의 개수	점수
1개 당	1점

02 |문제 개요| 동식물의 장점을 이용하여 개발한 발명품을 찾는 문제입니다. (5점)

|답안 예시| ✔① 비행기의 날개 ➡ 새의 날개 (날개의 모양을 힌트로 날 수 있게 함)

✔② 잠수함 ➡ 물고기의 부레 (공기의 양을 조절하여 잠수 및 부상할 수 있음)

✔③ 낙하산 ➡ 민들레 씨 (공중에서 천천히 낙하함)

✔④ 철조망 ➡ 장미의 가시 (가시의 날카로움으로 접근이 어려움)

✔⑤ 헬리콥터의 몸체 ➡ 잠자리의 몸체 (잠자리의 모양에서 힌트를 얻음)

✔⑥ 하늘을 나는 자동차 ➡ 무당벌레 (기어가다가 날아가는 원리를 적용)

아이디어(6개) : 4점

|Point| ❶ 우리 주변의 물건들 중에서는 동식물의 장점을 잘 관찰하여 모방하는 방법으로 발명품을 만들어 낸 것이 많이 있습니다.

❷ 아이디어의 개수에 따라 채점합니다.

아이디어의 개수	점수
1개	1점
2 ~ 3개	2점
4 ~ 5개	3점
6개	4점
7개 이상	5점

연습하기

01 |문제 개요| 주어진 상황에서 고려해야 할 점, 중요한 순서를 정하는 연습을 하는 문제입니다.

|답안 예시|

고려해야 할 점

① 집이 각종 재해나 악천후 등에 견딜 수 있도록 튼튼하게 지어야 한다.
② 집을 짓는 것은 비용이 많이 드는 작업이므로 비용을 적게 들일 수 있는 방안을 강구한다.
③ 집의 설계를 하는 사람이 집 주인의 의도를 잘 이해하여 설계해야 한다.
④ 집을 짓는 동안 안전사고의 위험이 없도록 꼼꼼하게 현장을 감독해야 한다.
⑤ 가능한 환경을 훼손하지 않고, 집에 사는 사람들의 건강에 해가 없는 자재를 사용한다.
⑥ 주위 이웃들에게 피해를 주지 않게 공사를 하는 시간이나, 발생하는 먼지의 양 등을 잘 조절하고, 최대한 주위 분들에게 양해를 구한다.
⑦ 집의 겉모양이 집 주인의 취향에 맞도록 예쁘게 지어야 한다.
⑧ 주위에 놀고 있는 사람이나 버려진 자재들을 적극 활용해서 불필요한 비용을 줄인다.

중요한 순서와 그 이유

중요한 순서 : ③ → ① → ④ → ⑥ → ⑤ → ② → ⑧ → ⑦
이유 : 먼저 집의 설계와 집이 만들어진 후 집이 기능적으로 문제가 있을지 없을지 예상하는 단계가 가장 중요하다고 할 수 있다. 그 다음 집을 만드는 과정에서 발생할 수 있는 상황을 해결할 수 있어야 하고, 집을 만드는 비용을 줄이는 문제이다. 마지막으로 가능한 예쁜 집을 지어야 한다.

|Point|

❶ 고려해야 할 점 1가지를 아이디어 1개로 평가하고, 집을 짓는 과정과 관계없는 요소는 아이디어로 인정하지 않습니다. 또 비슷한 요소는 1가지 아이디어로 평가합니다.

❷ 중요한 순서와 이유가 논리적으로 타당한 경우에 점수를 부여합니다.

02 |문제 개요| 학습발표회라는 상황에 맞게 구체적인 계획을 세워보는 연습을 하는 문제입니다.

|답안 예시|

중요한 일들	구체적인 계획
부모님의 초대	학습발표회 일주일 전에 알 수 있게 전화, 엽서로 연락한다.
발표회 내용	우리가 하는 공부를 재미있게 보여 드릴 수 있도록 노래, 연극 등 여러 가지 형식으로 준비한다.
발표회 진행	부모님들이 쉽게 이해하실 수 있도록 반장, 부반장이 전체적인 진행을 한다.
행사물품의 준비	부모님께서 앉으실 의자와 마실 음료수, 과자를 준비한다.
발표회 장소	우리 반 친구들과 부모님이 모두 들어갈 수 있을 정도의 장소를 빌린다.

|Point| ❶ 중요한 일들과 그에 따른 계획 1쌍을 아이디어 1개로 평가하고, 일과 계획이 관계없는 경우는 인정하지 않습니다.
❷ 비슷한 아이디어는 1개의 아이디어로 평가합니다.

03 |문제 개요| mp3 플레이어를 고를 때, 중요도 항목을 정하고 이를 바탕으로 부모님을 설득하는 글을 만드는 연습을 하는 문제입니다.

|답안 예시| (1)

	중요도	A회사	B회사
가격	2	1	2
A/S	4	4	1
디자인	1	0	1
성능	5	5	3
선호도 합계	12	10	7

(2)

> MP3는 많은 노래를 담아야 하고, 전자제품이라서 고장나기 쉬우므로 A/S센터가 주변에 많아야 합니다.
> 따라서 가격이 좀 비싸더라도 A/S센터가 적은 곳보다는 비싸더라도 A/S센터가 많은 곳이 결국 이득입니다. 그리고 음악을 듣기 위해서 사는 것이기 때문에 디자인은 그렇게 중요하게 생각하지 않습니다.

|Point| 자신이 생각하는 가장 중요한 항목을 강조하는 글을 써야 합니다. 또 일반적으로 부모님이라면 어떤 항목을 가장 중시하실지 생각해 봅니다.

01 |문제 개요| 강화도의 체험 학습 계획을 합리적으로 세워 보는 문제입니다. (10점)

|답안 예시| (1)

> **체험 학습 목표**
>
> 역사적 의미로서의 강화도, 관광 명소로서의 강화도, 지리학적으로 강화도가 가지는 특징을 파악한다.

(2)

> **가보고 싶은 5곳과 이유**
>
> • 강화 산성, 5층 석탑 → 이유 : 역사적 명소
> • 강화 역사관 → 이유 : 강화도의 문화를 이해할 수 있기 때문에
> • 강화 갯벌, 시월애 촬영지 → 이유 : 관광 명소

(3)

> **순서와 고려해야 할 점**
>
> • 강화역사관 → 강화 산성 → 5층 석탑 → 시월애 촬영지 → 강화 갯벌
>   – 교통편 : 교통이 복잡하거나, 관광 명소가 너무 멀리 떨어져 있으면 이동하는데 시간을 많이 뺏기므로, 가능한 이동 경로가 짧은 순서로 이동한다.
>   – 장소의 성격 : 체험 학습의 목적이 같은 곳부터 순서대로 들러야 한다.

체험 학습 목적이 너무 포괄적이지만 거기에 맞게 가 보고 싶은 곳과 이유가 적혀 있습니다. 고려해야 할 사항에 배편의 시간 등과 같이 세밀한 부분이 아쉬움 ← *6점*

|Point| ❶ 우선 체험 학습에서 고려해야 할 사항을 빠짐없이 적어 봅니다. 체험 학습에서 각자 가장 중요하다고 생각하는 것을 먼저 설정하고, 가능한 가장 중요한 것을 중심으로 계획을 세워야 합니다.

❷ 경로를 설정하였을 때, 그 이유가 체험 학습의 목적과 연관하여 합리적이어야 합니다.

❸ 다음 기준에 따라 채점합니다.

기준	점수
체험 학습의 목적, 경로 설정의 이유 등이 독창적인 경우	10점
체험 학습의 목적과 여행지 선정, 경로 설정이 합리적인 경우	7점
체험 학습의 목적과 여행지 선정이 무난하지만, 경로 설정이 합리적이지 못한 경우	5점

실전문제

01 |문제 개요| 주어진 상황에서 좋은 점과, 불편한 점을 찾고 불편한 점을 해결할 수 있는 재미있는 생각을 해보는 연습을 하는 문제입니다.

|답안 예시|

좋은 점
- V • 글씨와 그림을 원하는 대로 편하게 그릴 수 있다.
- V • 칠판은 커서 한 번에 많은 양을 필기하고 볼 수 있다.
- V • 반 친구들이 모두 볼 수 있다.

불편한 점
- V • 지울 때 가루가 날린다.
- V • 필기할 때 선생님이 칠판을 가린다.
- V • 수업을 하지 않을 때 검은 칠판이 보기 싫다.
- V • 선생님이 글씨 쓸 때 학생들이 떠든다.

재미있고 새로운 생각
- V • 칠판에 쓴 내용이 저장이 가능하게 한다. (또는 프린터 되게 한다.)
- V • 평상시에 칠판에 보기 좋은 영화가 나오게 한다.
- V • 칠판에 쓴 단어가 인터넷으로 검색 가능하게 한다.
- V • 칠판에 분필로 글씨를 쓰면 칠판에서 분필가루를 자동으로 빨아들인다.
- V • 말을 하면 저절로 글씨가 써지게 한다.

아이디어(12개) : 3점

|Point| ❶ 우리 주변에 있는 칠판의 좋은 점, 불편한 점을 관찰하여 좋은 점을 유지하면서 불편한 점을 보완하는 재미있고 새로운 생각을 잘 찾았습니다. 그러나 전반적으로 아이디어의 개수가 적은 것이 아쉽습니다.

❷ 아이디어의 개수에 따라 채점합니다.

아이디어의 개수	점수
1 ~ 4개	1점
5 ~ 8개	2점
9 ~ 12개	3점
13 ~ 16개	4점
17개 이상	5점

02 |문제 개요| 시간 여행에 대한 여행 계획을 마인드맵으로 만들어 보는 연습을 하는 문제입니다

|답안 예시|

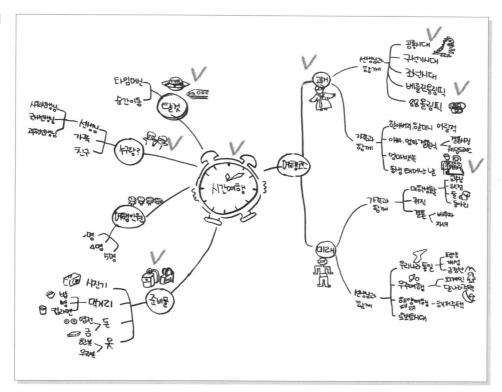

아이디어(31개 이상): 7점
독창성   : 3점
                 10점

|Point| ❶ 마인드맵은 아이디어를 부각시키고, 생각의 연결을 쉽게 하기 위하여 색채, 시각적인 그림, 이미지 또는 기호 등을 사용해도 좋습니다.

❷ 아이디어를 부각시키고 생각의 연결을 쉽게 하기 위하여 색채, 시각적인 그림, 이미지 또는 기호 등을 사용한 개수에 따라 독창성의 점수를 부여합니다.

❸ 아이디어의 개수에 따라 채점합니다.

아이디어의 개수	점수
1 ~ 5개	1점
6 ~ 10개	2점
11 ~ 15개	3점
16 ~ 20개	4점
21 ~ 25개	5점
26 ~ 30개	6점
31개 이상	7점

▌ 연습하기

01 |문제 개요| 　주어진 문장을 다양하게 해석해 보는 연습을 하는 문제입니다.

　　　|답안 예시|

> - 저는 공주가 아닌데요.
> - 내일 가져가겠습니다.
> - 세탁 좀 부탁드려요.
> - 일부러 버린 거예요.
> - 가져다 주셔야 매너 있죠.
> - 어쩐지 갑자기 발바닥이 차가워지더라구요.
> - 불편해서 벗은 건데요!
> - 제가 구두를 놓고 가야 왕자님이 절 찾으시죠!
> - 그 구두 신고가면 뛰기 불편해요!
> - 그거 구두 아니에요! 12시가 지나면 고무신으로 바뀔 거예요!

　　　|Point| 　재미있는 글을 쓰기 위해서는 반전, 재치 있는 결말 등을 사용하여 이야기 자체에 생기를 불어넣어야 합니다.

02 |문제 개요| 　그림을 보고 말풍선에 재미있는 이야기를 넣어 완성하는 연습을 하는 문제입니다.

　　　|답안 예시|

> - 엄마도 날개는 있는데 날지 못하시죠. 저도 그래요.
> - 엄마도 뒤뚱뒤뚱 걸으시죠. 저도 그래요.
> - 저는 꼭 커서 엄마처럼 예뻐지고 싶어요. 그러니깐 엄마는 제 엄마예요!
> - 저도 알아요. 장난친 건데…
> - 아줌마 말고 저기 앞에 가는 엄마 닭 부른 건데요.

　　　|Point| 　이야기의 주인공에게 감정을 이입하여 먼저 자기라면 어떤 대답을 했을지 생각해 보고, 그 중에 가장 재미있는 대답을 골라내는 것이 좋습니다.

03 |문제 개요| 이야기의 빈 곳에 알맞은 말을 써넣어 이야기를 재미있게 완성하는 연습을 하는 문제입니다.

|답안 예시|

> • 베짱이는 여름에 저에게 좋은 음악을 들려 주었습니다. 소원을 꼭 들어 주세요.
> • 사실 제가 베짱이입니다.
> • 왜 작년 겨울에 제가 배고플 때는 안 나타나다가 이제 나타나세요?
> • 저리 가세요. 얘는 정신 좀 차려야 돼요.
> • 산신령님이 더 배고파 보여요.
> • 산신령님 그러고 보니 제가 전에 연못에 도끼를 빠뜨렸어요.

|Point| 적당한 반전과 역전, 그리고 기발한 상황으로의 전환이나, 적절한 패러디의 사용 등은 이야기의 흥미 요소를 증가시킵니다.

실전문제

P. 090

01 |문제 개요| 주어진 이야기를 잘 읽고, 주인공이 곤경에서 벗어날 수 있게 이야기를 완성하는 문제입니다. (5점)

|답안 예시|

> ✔ • 아들에게 안경을 맞춰 주고, 그 안경을 뽑는다.
> ✔ • 아들에게 눈(雪) 두 덩어리를 만들어 오라고 한다.
> ✔ • 아들에게 전 국민이 다 듣는 앞에서 노래를 두 곡 하라고 한다.
>   (눈을 거꾸로 하면 곡이니까)
> ✔ • 아들의 국적을 외국으로 만들어, 우리나라 국민이 아니므로, 법을 적용할 수 없다고 한다.
> • 아들의 두 눈을 뽑아서 다시 제자리에 넣으라고 한다.
>   (눈을 뽑아서 어떻게 하라는 이야기가 없었으므로)

아이디어(4개) : 4점

|Point| ❶ 기발하고 남이 쉽게 상상할 수 없는 이야기를 만드는 것이 좋은 점수를 받을 수 있습니다.

❷ 다음 기준에 따라 채점합니다.

아이디어의 개수	점수
1개	1점
2개	2점
3개	3점
4개	4점
5개 이상	5점

|문제 개요| 주어진 광고 사진에 재치 있는 문구를 써넣는 문제입니다. (3점)

|답안 예시|
• 나무를 10년 키워야 책 한 권이 됩니다. ← 3점

• 책을 땅에 묻는다고 다시 나무가 되지는 않습니다. ← 3점

• 한 번 읽은 책은 버릴 수 있지만, 한 번 베어낸 나무를 살릴 수 없습니다. ← 2점

|Point|
❶ 문구가 지나치게 상세한 상황을 묘사하면, 전달력이 떨어집니다.

❷ 다음 기준에 따라 채점합니다.

기준	점수
그림 속의 의도를 간결하고 재치있게 쓴 경우	3점
그림 속의 의도를 상세하게 풀어 쓴 경우	2점
그림을 설명하는 문구를 쓴 경우	1점

연습하기 P. 096

01 |문제 개요| 주어진 문장을 다양하게 해석해 보는 연습을 하는 문제입니다.

|답안 예시|

문장	여러 가지 뜻
저 배를 보세요.	1. 저 복부(신체의 일부)를 보세요. 2. 저 선박(물 위에 뜨는 물건)을 보세요. 3. 저 과일(배나무의 열매)를 보세요.
정말 말이 많다.	1. 어떤 대상에 대한 소문이 많다. 2. 누군가 말(言)을 너무 많이 한다. 3. 정말 말(馬)이 많다.
할아버지께서는 돌아가셨습니다.	1. 할아버지께서는 수명을 다 하셨습니다. 2. 할아버지께서는 집으로 되돌아가셨습니다.
손 좀 봐줘.	1. 좀 고쳐 줘.(도움) 2. 손(신체의 일부) 좀 봐줘. 3. 좀 때려 줘.

|Point| 같은 뜻의 단어가 여러 가지 의미를 가짐으로 인해, 그 단어가 들어간 문장이 다양하게 해석
될 수 있습니다. 이러한 것을 중의적 표현이라고 합니다.

02 |문제 개요| 밑줄 친 같은 단어의 뜻이 어떻게 다른지 설명하는 문제입니다. (9점)

|답안 예시| (1) 영수는 목에서 피가 나도록 노래 연습을 하여, 좋은 목을 얻었다.
　　　　　　① 머리와 몸을 잇는 신체의 일부　　　　　　② 목소리

(2) 옷이 마음에 들어 사려고 하니, 돈이 든다.
　　　　① 마음에 차거나 맞다.　　② 필요하다.

(3) 친구에게 생각 없이 말하는 구나! 20년 후 친구가 없는 너의 모습을 생각해 봐!
　　　① 분별, 판단　　　　　　　　　　　　　　② 추측, 예상

(4) 연극이 보고 싶었지만, 집을 보면서 책을 보았다.
　　　① 관람하다.　　② 지키다.　　③ 읽다.

|Point| ❶ 어떤 단어가 원래 사용되는 고유한 뜻과 더불어 다른 뜻으로도 사용되는 경우를 이용한 표
현을 어휘적 중의성이라고 합니다.
❷ 각 밑줄 친 낱말에 올바른 뜻을 적은 경우 각각 1점씩 채점합니다.

실전문제

01 |문제 개요| 주어진 광고 문구와 비슷한 표현 방법을 사용한 문장을 찾고, 같은 방법으로 광고문을 만드는 문제입니다. (5점)

|답안 예시| (1) 비슷한 광고문 : 3번 ← 2점

(2)
> • 자동차가 우리를 편하게 해준다. 자동차가 지구를 괴롭히고 있다. ← 1점
> • 튀어나온 배만큼 배로 빨리 죽는다. ← 2점
> • 1분 빨리 가려다가 10년 빨리 간다. ← 2점

|Point| ❶ '손 쉽게 쓰다, 손쓸 수 없게 된다.'라는 문장은 손이라는 단어의 중의성을 이용하여 효과적으로 표현한 것입니다. 앞의 '손'은 쉽게, 편하게, 생각 없이라는 의미를 담고 있다면 뒤의 '손'은 해결이라는 의미를 담고 있습니다. 이렇게 같은 단어를 다른 뜻으로 2번 사용하여 문장의 전달성을 더욱 부각시키고 있습니다.

❷ 다음 기준에 따라 채점합니다.

'비슷한 광고문 찾기' 기준	점수
비슷한 광고문을 정확히 찾은 경우	2점
비슷한 광고문을 찾지 못한 경우	0점

'광고문 만들기' 기준	점수
중의적 표현을 사용하면서 광고문인 경우	1점
중의적 표현을 잘 사용하고 있는 경우	2점
같은 말이나 비슷한 말을 사용하고는 있지만, 중의적 표현은 아닌 경우	3점

02 |문제 개요| 주어진 단어를 다양하게 해석해 보는 연습을 하는 문제입니다. (8점)

|답안 예시|

낱말	여러 가지 뜻
산토끼	1. 살아 있는 토끼 2. 산에 사는 토끼 3. 돈을 주고 산 토끼
짠물	✔ 1. 맛이 짠 물 ✔ 2. 젖어 있는 헝겊 등을 짜서 나온 물 2점
경주말	✔ 1. 경마 경기에서 달리는 말(동물) ✔ 2. 경주 지역에서만 사용하는 말 2점
세발	✔ 1. 발이 세 개인 것 ✔ 2. 발이 얇은 것 2점
밑받침	✔ 1. 밑에 받치는 물건 ✔ 2. 어떤 일의 바탕이나 근거 2점

8점

|Point|

❶ 같은 뜻의 단어가 여러 가지 의미를 가짐으로 인해, 그 단어가 들어간 문장이 다양하게 해석 될 수 있습니다. 이러한 것을 중의적 표현이라고 합니다.

❷ 다음 기준에 따라 채점합니다.

기준	점수
서로 다른 뜻으로 2개 이상의 문장을 만든 경우	2점
서로 다른 뜻으로 1개의 문장을 만든 경우	1점

연습하기

01 |문제 개요| 주어진 이야기의 주제를 파악하여 표어로 나타내는 문제입니다.

|답안 예시|

> • 남의 일에 참견 말고, 자기 일이나 잘하자.
> • 부부의 믿음, 커지는 행복
> • 당장의 손해, 미래의 이익

|Point| 논지 파악 문제는 대체로 옳고 그름을 명확하게 나타내기 힘든 이야기가 많습니다. 즉, 같은 이야기에서도 상반된 의미의 주제가 함께 도출될 수도 있다는 뜻입니다. 따라서, '누가 옳다는 거지?', '누구 편을 들어야 하지?'를 고민하기 보다는, 주제 속에 자신만의 고유한 주장을 담을 필요가 있습니다.

02 |문제 개요| 주어진 이야기를 하나의 속담으로 표현하는 연습을 하는 문제입니다.

|답안 예시|

> • 올라간 계단은 반드시 내려오게 되어 있다.
> • 빨간 불 다음은 초록 불, 그리고 그 다음은 다시 빨간 불
> • 가난이 욕심을 부르고, 욕심이 다시 가난을 부른다.
> • 어선 한 가득 물고기를 잡으면 바닷속으로 가라앉는다.

|Point| 속담은 표어와는 다르게 어떤 주제를 직접적으로 주장하기 보다는 좀 더 상징적이거나 풍자적으로 주제를 표현해야 합니다.

03 |문제 개요| 글쓴이가 이야기하려는 주제를 찾고, 주제와 같은 이야기를 만드는 연습을 하는 문제입니다.

|답안 예시| (1)

> 상대의 입장을 생각하지 않고 자신의 입장만 강조하면 안됩니다.

(2)

> 탁구 선수와 테니스 선수가 내기를 했습니다. 먼저 탁구로 승부를 겨루기로 하였습니다. 탁구 선수는 다음과 같이 얘기했습니다.
> "이 바보야, 나처럼 라켓을 휘두르면 되잖아!"
> 하지만 테니스 선수는 좀처럼 따라하기 쉽지 않아 지고 말았습니다.
> 그리고 테니스로 승부를 겨루었습니다. 그러자 테니스 선수는 다음과 같이 얘기 했습니다.
> "이 바보야, 나처럼 라켓을 휘두르면 되잖아! 대체 뭐 하는 거야?"
> 하지만 테니스 라켓이 서툴렀던 탁구 선수는 테니스 경기에서 지고 말았습니다.
> 그리고 마지막 배드민턴 경기에서도 테니스 선수가 이기게 되자 탁구 선수는 울상을 지었습니다.

먼 길을 떠나는 일행이 짐을 나누어 들었습니다.

그 중에서 식량을 들고 가는 친구가 가장 무거웠습니다. 그래서 다른 친구들에게 같이 좀 들어 달라고 부탁을 했습니다. 그러나 친구들은 "자기 짐은 자기가 들어야지!" 하면서 거절했습니다.

돌아오는 길에는 식량을 거의 다 먹어서 식량을 든 친구의 짐은 매우 가벼웠습니다. 그러자 여행에 지친 다른 친구들이 짐을 나누어 들자고 부탁을 했습니다.

그러나 식량을 든 친구는 "자기 짐은 자기가 들어야지!" 하고 말하며 갔습니다.

| Point | 새로운 이야기를 만들 때에는 주어진 이야기와 같은 소재, 상황은 피하는 것이 좋습니다. 좀 더 풍부하고 재미있는 상황을 만들어 같은 주제를 표현해 봅니다.

실전문제
P. 106

01 | 문제 개요 | 주어진 이야기의 주제를 파악하여 표어로 나타내는 문제입니다. (5점)

| 답안 예시 |

• 필요할 땐 굽신굽신, 지나가면 버럭버럭 ◄─ 5점(주제를 표어 형식으로 표현)

• 무모한 친절과 계획없는 삶의 결말 ◄─ 3점(표어 형식으로 표현되지 않았음)

• 물에 빠진 놈 구해주었더니 보따리 내놓으라 한다는 옛말 틀린 게 하나도 없다.

• 노인 공경 사회 이룩하자! ◄─ 2점(일부는 주제와 관계 있고, 일부는 주제와 관계가 없음)

| Point | ❶ 논지 파악 문제는 대체로 옳고 그름을 명확하게 나타내기 힘든 이야기가 많습니다. 즉, 같은 이야기에서도 상반된 의미의 주제가 나올 수도 있다는 뜻입니다. 따라서 '누가 옳다는 거지?', '누구 편을 들어야 하지?'를 고민하기 보다는, 주제 속에 자신의 생각을 정리하여 담을 필요가 있습니다.

❷ 아무리 주제를 훌륭하게 이끌어 내었고, 표현 방식 역시 독창적이라 할지라도 문제에 주어진 조건인 '표어'답지 않다면 좋은 점수를 받을 수 없습니다.

❸ 다음 기준에 따라 채점합니다.

기준	점수
글의 주제를 정확하게 파악하고, 리듬감 있는 표어의 형식으로 표현한 경우	5점
글의 주제를 정확하게 파악하였으나, 표어 형식으로 표현하지 못한 경우	3점
글의 주제는 벗어났으나, 글의 내용과 관련이 있는 경우	1점

02 |문제 개요| 3개의 이야기에서 공통적으로 말하려 하는 주제를 찾은 후, 주제와 유사한 이야기를 만드는 문제입니다. (10점)

|답안 예시| (1) 한 문장으로 쓰기

> - 아무리 귀한 것도 알아보지 못하는 사람에게는 무용지물이다. ← 5점
> - 귀한 것을 알아보는 눈이 있어야 한다. ← 3점
> - 현명하지 못한 사람은 보물을 알아보지 못한다. ← 2점
> - 중요한 것도 쓸모 없는 경우가 있다. ← 1점
> - 돼지 목에 진주 ← 0점

(2) 비슷한 이야기 쓰기

> - 아프리카 아이들은 반짝이는 돌을 가지고 공기 놀이를 한다. 그것은 바로 다이아몬드였다. ← 5점
> - 쓰레기통을 뒤지던 개가 생선 뼈와 금화 중에서 생선 뼈를 물고 갔다. ← 0점

|Point| 다음 기준에 따라 채점합니다.

'한 문장으로 쓰기' 채점 기준	점수
글의 주제를 정확하게 파악하여 일반적인 진술로 표현한 경우	5점
글의 주제를 파악하였으나 일반적인 진술로 표현되지 않은 경우	3점
글의 주제를 파악하여 문장에 나온 진술을 구체적으로 인용하여 쓴 경우	2점
글의 주제에는 벗어났으나, 글의 내용과 관련이 있는 경우	1점

'비슷한 이야기 쓰기' 채점 기준	점수
글의 주제를 정확하게 파악하여 유사한 문장으로 표현한 경우	5점
글의 주제를 파악하였으나 유사하지 않은 문장으로 표현한 경우	3점
글의 주제는 파악하였으나 주어진 문장에서 등장하는 소재만 바꾼 경우	2점
글의 주제를 올바르게 파악하지 못하여 잘못 표현한 경우	0점

대표 유형 탐구

P. 108

|풀이| (1) 36, 48, 54를 만드는 계산식은 이 외에도 여러 가지 방법이 나올 수 있습니다.

식	최소 개수
$36 = 3 + 33$ $= (3+3) \times (3+3)$ $= (3 \times 3) \times (3+3 \div 3)$	3개
$48 = (3+3) \times 3 + (33-3)$ $= (3+3 \div 3) \times (3+3 \div 3) \times 3$ $= (3+3+3+3) \div 3 \times (3+3 \div 3) \times 3$	6개
$54 = (3+3) \times (3 \times 3)$ $= (33-3) + (3+3) \times (3+3 \div 3)$ $= (3 \times 3 \times 3) \times (3+3 \div 3) \div (3-3 \div 3)$	4개

(2) 31미만의 자연수 중에서 3을 최소로 사용하여 만들 수 있는 수는 다음과 같습니다.
 (i) 1개의 3을 사용하여 만들 수 있는 31 미만의 자연수 → 3
 (ii) 2개의 3을 사용하여 만들 수 있는 31 미만의 자연수 → 0, 1, 6, 9
 (iii) 3개의 3을 사용하여 만들 수 있는 31 미만의 자연수 → 2, 4, 11, 12, 18, 27, 30
 (iv) 4개의 3을 사용하여 만들 수 있는 31 미만의 자연수 → 5, 7, 8, 10, 14, 15, 21, 24
  • 2개의 3을 사용하여 만든 수 중에서 2개의 수를 사칙연산을 해서 구한 수
   → 5, 7, 8, 10, 15, 24
  $(3+3) - (3 \div 3) = 5$ $(3+3) + (3 \div 3) = 7$ $(3 \times 3) - (3 \div 3) = 8$
  $(3 \times 3) + (3 \div 3) = 10$ $(3+3) + (3 \times 3) = 15$ $33 - (3 \times 3) = 24$
  • 3개의 3을 사용하여 만든 수와 숫자 3을 사칙연산을 해서 구한 수 → 14, 21
  $(33 \div 3) + 3 = 14$ $(3+3) \times 3 + 3 = 21$

|답| (1) 풀이 참조 (2) 5, 7, 8, 10, 14, 15, 21, 24

|참고| 숫자 3과 +, -, ×, ÷, ( )를 사용하여 만들 수 있는 수를 알아봅시다.

① 1개의 3을 사용하여 만들 수 있는 수 → 3
② 2개의 3을 사용하여 만들 수 있는 수 → 0, 1, 6, 9, 33
 $3+3=6$, $3-3=0$, $3 \times 3=9$, $3 \div 3=1$, 33
③ 3개의 3을 사용하여 만들 수 있는 수 → 0, 2, 3, 4, 6, 9, 11, 12, 18, 27, 30, 36, 99, 333
 (i) ②에서 구한 5개의 수에 숫자 3을 사칙연산을 해서 구한 수
   → 0, 2, 3, 4, 6, 9, 11, 12, 18, 27, 30, 36, 99
 (ii) 333
④ 4개의 3을 사용하여 만들 수 있는 수
 → 0, 1, 2, 3, 4, 5, 6, 7, 8, 9, 10, 12, 14, 15, 18, 21, 24, 27, 30, 32, 33, 34, 36, 39, 42,
  54, 81, 90, 96, 102, 108, 111, 198, 297, 330, 336, 999, 3333
 (i) ②에서 구한 수 중에서 2개의 수를 사칙연산을 해서 구한 수
   → 0, 1, 2, 3, 5, 6, 7, 8, 9, 10, 15, 24, 27, 32, 33, 34, 39, 42, 54, 198, 297
 (ii) ③에서 구한 수와 숫자 3을 사칙연산을 해서 구한 수
   → 1, 4, 5, 6, 7, 8, 9, 10, 11, 12, 14, 15, 21, 24, 27, 30, 33, 36, 39, 54, 81, 90, 96,
    102, 108, 111, 297, 330, 336, 999
 (iii) 3333
⑤ 위와 같은 방법으로 5개, 6개, …의 숫자 3과 +, -, ×, ÷, ( )를 사용하여 만들 수 있는 수를 구할 수 있습니다.

|풀이| $(4+4) \div (4+4) = 1$ $4 \div 4 + 4 \div 4 = 2$ $(4+4+4) \div 4 = 3$ $(4-4) \times 4 + 4 = 4$
$\{(4 \times 4) + 4\} \div 4 = 5$ $(4+4) \div 4 + 4 = 6$ $4 - (4 \div 4) + 4 = 7$ $4 \div 4 \times 4 + 4 = 8$
$4 \div 4 + 4 + 4 = 9$ $(44-4) \div 4 = 10$

이 외에도 여러 가지 답이 나올 수 있습니다.

유형 탐구

01 |풀이| $A\frac{x}{7} + B\frac{y}{7} + C\frac{z}{7}$ 라 하면 A, B, C는 이미 자연수입니다. 분수식을 계산하면 $(A+B+C)\frac{x+y+z}{7}$ 이므로 $x+y+z$가 7의 배수이면 됩니다.

- 합이 7이 되는 경우 : $1+2+4$ ➡ $(3+5+6) + \frac{(1+2+4)}{7} = 15$

- 합이 14가 되는 경우 : $3+5+6$ ➡ $(1+2+4) + \frac{(3+5+6)}{7} = 9$

|답| 2가지

02 |답| $1 \times (2+3) - 4 = 1$ $1 \times 2 \times 3 - 4 = 2$ $1 + 2 \times 3 - 4 = 3$
$1 + 2 - 3 + 4 = 4$ $(1+2) \div 3 + 4 = 5$

이 외에도 여러 가지 답이 나올 수 있습니다.

03 |풀이| 처음 빈칸에 '$-$'는 들어갈 수 없습니다.
진분수끼리의 곱셈은 결과값이 작아지고, 나눗셈은 결과값이 커집니다.
계산의 우선 순위는 $(\times, \div) \rightarrow (+, -)$입니다.
위와 같은 원칙을 가지고 나올 수 있는 모든 경우를 계산해 봅니다.

|답| $\frac{1}{2} \boxed{\div} \frac{2}{3} \boxed{-} \frac{3}{4} \boxed{\times} \frac{4}{5} \boxed{+} \frac{5}{6} = \frac{59}{60}$

04 |답| $(2 \times 1.5) \div \{(7-3) \times \frac{3}{4}\} = 1$

이 외에도 여러 가지 답이 나올 수 있습니다.

Plus 유형

01 |답| (1) $5\frac{3}{4} \div \frac{1}{6} = 34\frac{1}{2}$ (2) $5\frac{2}{3} \div \frac{1}{6} = 34$ (3) $6\frac{3}{4} \div \frac{1}{5} = 33\frac{3}{4}$

(4) $6\frac{2}{3} \div \frac{1}{5} = 33\frac{1}{3}$ (5) $5\frac{2}{4} \div \frac{1}{6} = 33$

02 |답| (1) $\frac{12}{60}, \frac{13}{65}, \frac{14}{70}, \frac{16}{80}, \frac{17}{85}$ (2) $\frac{126}{504}, \frac{127}{508}, \frac{137}{548}$

(3) $\frac{1354}{2708}$

이 외에도 여러 가지 답이 나올 수 있습니다.

대표 유형 탐구

|풀이| A와 C의 말을 종합하면 C>A>D의 관계를 얻을 수 있습니다. B는 D보다 작지 않으므로
① B>C>A>D
② C>B>A>D
③ C>A>B>D
의 3가지 경우가 나올 수 있습니다.

|답| 3가지

Drill

01 |풀이| 표를 그려 알아봅니다.

	가장 많이			가장 적게
호철	×	×	×	○
동하	○	×	×	×
승호	×	×	○	×
문서	×	○	×	×

따라서 지각을 많이 한 사람부터 순서대로 나열하면 동하, 문서, 승호, 호철입니다.

|답| 동하, 문서, 승호, 호철

02 |풀이| 조건을 부등식으로 모두 바꾸고 연결합니다.
A>B, B>C, C>D, F>E>A
➡ F>E>A>B>C>D

|답| F-E-A-B-C-D

유형 탐구

01 |풀이| ① → 여자 세 명이 붙어 있고, 정은이는 그 가운데입니다.
①, ⑤ → 여자 중 선희가 가장 뒤입니다.
④, ⑥ → 준원이가 가장 앞입니다.

|답| 준원, 수연, 정은, 선희, 민구

02 |풀이| 사슴과 호랑이는 가장 멀리 떨어져 있고, 염소 우리는 사슴 우리의 남쪽에 있으므로 사슴, 호랑이, 염소는 다음과 같은 두 가지 경우로 있을 수 있습니다.

		사슴
호랑이		염소

사슴		
염소		호랑이

사자 우리는 고릴라 우리의 서쪽에 붙어 있으므로 사자와 고릴라를 채워 넣습니다.

사자	고릴라	사슴
호랑이		염소

사슴	사자	고릴라
염소		호랑이

사자와 곰의 우리는 붙어 있는데 위의 두 가지 중 첫째 번의 경우는 사자와 곰의 우리가 붙어 있을 수 없습니다. 따라서 둘째 번 그림에서 곰을 채우면 됩니다.

|답|

사슴	사자	고릴라
염소	곰	호랑이

03 |풀이| E는 아빠이고, A는 딸입니다. E의 말에서 A는 E의 오른쪽이 아닙니다. C와 D의 말에서 A, B, C, D의 자리를 정할 수 있습니다. B는 E와 1살 차이이므로 엄마이고, E의 오른쪽에 앉은 D가 막내 아들입니다.
따라서 C가 첫째 아들이 됩니다.

|답| C

Plus 유형

P. 118

01 |풀이|

	시작	중간	끝
A	1		5
B			1
C			4
D	3	2	3
E	5	3	2

시작과 중간 상황을 확실히 알 수 없지만 최종 순위는 확실합니다.
따라서 E는 B를 앞지르지 못했습니다.

|답| ④

02 |풀이| C는 세 가지 색깔의 모자가 모두 보이므로 C가 가장 뒤에 있고, D는 두 가지 색깔의 모자가 보이므로 뒤에서 둘째 번 자리에 있습니다. B의 바로 뒤에 A가 있으므로 네 사람의 순서는 앞에서부터 B−A−D−C입니다. A가 파란색 모자가 보인다고 했으므로 B의 모자 색깔은 파란색입니다. D가 파란색과 노란색 모자가 보인다고 했으므로 A의 모자 색깔은 노란색입니다.

따라서 C가 세 가지 색깔의 모자가 모두 보인다고 했으므로 D가 쓴 모자의 색깔은 빨간색입니다.

|답| 빨간색

03 |풀이|

태경 − 떡볶이

동준 − 김밥   지영 − 햄버거

시은 − 피자

|답| 지영 − 햄버거, 시은 − 피자
동준 − 김밥, 태경 − 떡볶이

대표 유형 탐구

|풀이| 아래 표에서 3번 시행 후 입구가 아래인 것을 14로 만들 수 있는지 확인해 보아야 합니다. 여기에서는 입구가 위인 것 1개를 아래로 바꾸면 입구가 아래인 컵과 입구가 위인 컵의 개수는 2개 차이가 됩니다. 따라서 입구가 위인 것 5개를 뒤집고, 아래인 것 9개를 뒤집으면 아래인 것을 14개로 만들 수 있고, 5째 번에는 입구가 아래인 것을 0으로 만들 수 있습니다.

	처음	1번	2번	3번	4번	5번
아래	60	46	32	18	4	0
위	0	14	28	42	46	60

|답| 5번

Drill

|답|

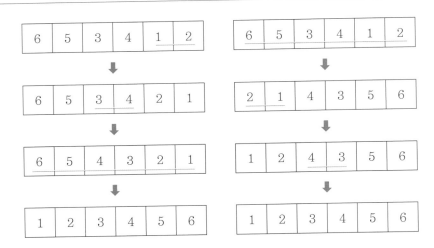

유형 탐구

01 |풀이| $1001=11\times7\times13=77\times13=11\times91=7\times143$입니다.
또 1등이 받은 공책 수가 절반보다 작고, 오른쪽 그림에서 9묶음보다 많아야 하므로 한 묶음은 77, 91 중 하나임을 알 수 있습니다.
$9\times A+B=1001$이고, $B=K\times A$
따라서 $(9+K)\times A=1001$입니다. $A=91$인 경우에만 1등이 받은 공책의 수가 전체의 절반보다 작습니다.

|답| 91권

02 |풀이| 조건을 읽고, 지난 한 해 동안 읽은 책의 권수를 기준으로 각 종류별 권수를 구하여 비교합니다.

|답| 많이 읽은 책 : 시
적게 읽은 책 : 만화책

03 |풀이| 도시별 시간의 차이를 중간에 적용시키면 계산이 복잡해집니다. 출발부터 도착까지 시간의 차이를 한 번만 적용시키면 비교적 간단한 문제가 됩니다.

서울 ➡ 북경 ➡ 비엔나 ➡ 프라하
45분　　3시간 30분　　1시간

(걸린 시간)+8시간=5시간 15분+8시간=13시간 15분

프라하 ➡ 비엔나 ➡ 북경 ➡ 서울
1시간　　16시간 40분　　2시간 40분

(걸린 시간)−8시간=20시간 20분−8시간=12시간 20분

위의 표를 참고하면 시간의 차이는 55분입니다.

|답| 　55분

Plus 유형

P. 124

01 |풀이| 결과를 읽고 확실하게 알 수 있는 부분을 표시하면 다음과 같습니다.

	1	2	3	4	5	6	7	8	9	10	11	12	13
갑	×	△											○
을	△	○											×
병	○	×	△	×	△	×	△	×	△	×	△	×	△

을을 결정하면 갑이 자동으로 결정됩니다. 따라서 3회~12회까지 을은 8번 승리하고, 1번 심판, 1번 패배합니다.
패배 후 바로 뒷경기는 심판을 해야 합니다.
따라서 을의 빈칸에 (×, △) 표시가 올 수 있는 경우는 (3회, 4회) (5회, 6회) (7회, 8회) (9회, 10회) (11회, 12회)입니다.

|답| 　5가지

02 |풀이| 전체를 생각하면 복잡합니다. 원이 겹치는 곳, 그렇지 않은 곳과 원 안의 한 명씩의 움직임만 살펴봅니다.

(1) 겹치지 않는 곳

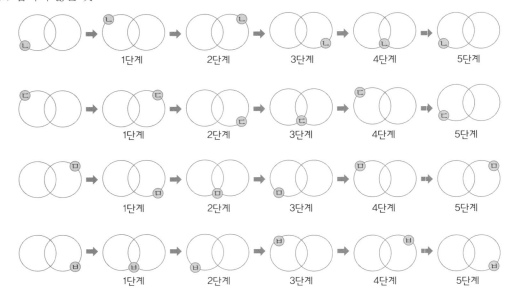

(2) 원 안

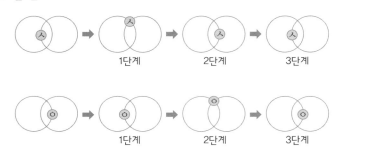

(3) 겹치는 곳

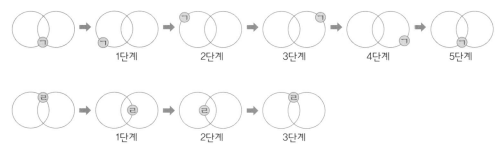

(1), (2), (3)의 경우를 보면, 3단계, 5단계만에 제자리로 돌아옵니다. 따라서 3과 5의 최소공배수인 15단계에서 모두 제자리로 돌아옵니다.

|답| 15단계

대표 유형 탐구　　　　　　　　　　　　　　　　　　　　　P. 126

|풀이| 　문제에서 1개의 곧은선을 찾을 수 있습니다.

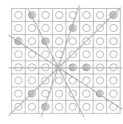

2개의 버튼을 추가하여 9개의 곧은선을 찾아야 하므로 버튼을 2개씩 연결합니다. 직선이 많이 지나가
는 버튼을 찾아보면 다음과 같습니다.

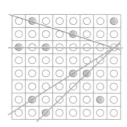

따라서 위의 그림에서 2개의 버튼을 추가하면 10개의 곧은선을 찾을 수 있습니다.

|답|

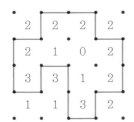

Drill　　　　　　　　　　　　　　　　　　　　　　　　　P. 127

|풀이| 　0의 주변에는 선분을 그을 수 없고, 선분은 모두 연결되어 있어야 하므로 왼쪽 위의 모서리에 있는

2 주변에는 ⌐2 또는 2⌐ 와 같이 선분을 이어야 합니다.

|답|

01 |답|

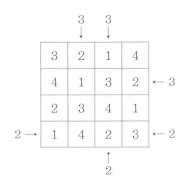

02 |답|

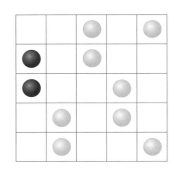

03 |풀이| 5와 9는 출발과 도착에서 반드시 써야만 합니다. 사용할 수 있는 0은 가운데 있는 것뿐입니다.

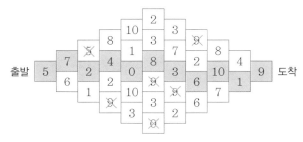

출발에서 7, 6일 때에 도착에서 4, 1인 경우를 따지면서 가능한 경우를 찾으면 1가지만 가능합니다.

|답|

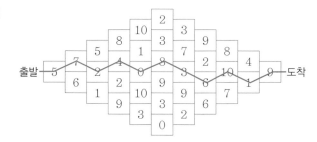

04 |답|

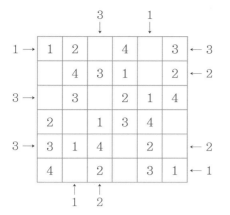

또는

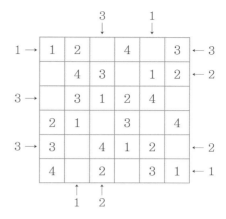

05 |답| (1)

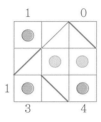

(2)

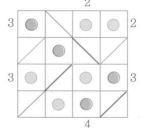

대표 유형 탐구

P. 132

|답|

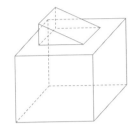

Drill

P. 133

|답|

(1)

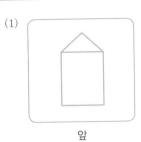

앞

위

(2)

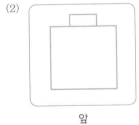

앞

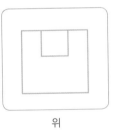

위

(3)

앞

위

01 |답| ①

02 |풀이| 전개도를 접었을 때, 만나는 꼭짓점끼리 연결해 봅니다.

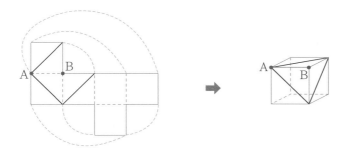

따라서 겨냥도로 옳은 것은 ②번입니다.

|답| ②

Plus 유형

01 |답| (1)

(2)

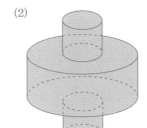

(3)

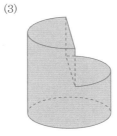

대표 유형 탐구

P. 138

|풀이| 전개도를 접었을 때, 만나는 꼭짓점끼리 연결해 봅니다.

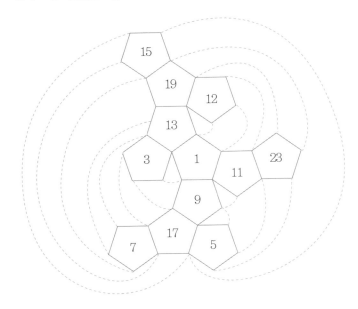

|답| (1, 15), (3, 23), (5, 13), (7, 11), (9, 19), (12, 17)

Drill

P. 139

|풀이| 전개도를 접었을 때, 만나는 꼭짓점끼리 연결해 봅니다.

(1)

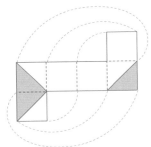

(2)

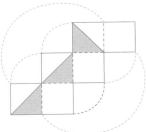

|답| (1) ③   (2) ②

01 |답|

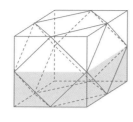 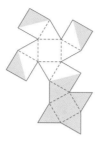

이 외에도 여러 가지 답이 나올 수 있습니다.

02 |답| (1) 육각형 4개, 삼각형 4개

(2)

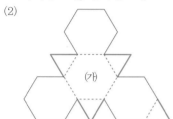

이 외에도 여러 가지 답이 나올 수 있습니다.

(3)

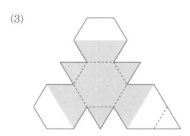

이 외에도 여러 가지 답이 나올 수 있습니다.

Plus 유형

01 |답| (1)

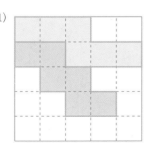

(2)

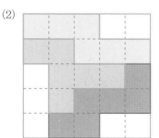

이 외에도 여러 가지 답이 나올 수 있습니다.

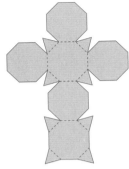

이 외에도 여러 가지 답이 나올 수 있습니다.

03 |답|

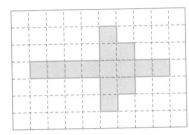

이 외에도 여러 가지 답이 나올 수 있습니다.

대표 유형 탐구

P. 144

|답|

3	1	1
	1	3
1	2	3

3	1	1
	2	3
1	1	3

3	2	1
	1	3
1	1	3

1	2	3
	1	3
3	1	1

1	1	3
	2	3
3	1	1

1	1	3
	1	3
3	2	1

3	2	1
	1	3
3	1	1

3	1	1
	2	3
3	1	1

3	1	1
	1	3
3	2	1

Drill

P. 145

|풀이|

A	B		2
C	D	1	3
	2	1	2
3	2	1	

A, B, C, D만 결정하면 됩니다.

• 최대인 경우

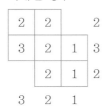

2	2		2
3	2	1	3
	2	1	2
3	2	1	

• 최소인 경우

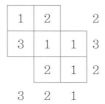

1	2		2
3	1	1	3
	2	1	2
3	2	1	

|답| 최대 : 13개, 최소 : 11개

01 |풀이| (1)

2		
2		1
2	3	1

   2   3   1

(2)

A		
B		1
C	3	1

   2   3   1

최소 개수이기 위해서는 A, B, C에 쌓기나무 2개인 곳이 1곳, 1개인 곳이 2곳이어야 합니다.

1		
1		1
2	3	1

1		
2		1
1	3	1

2		
1		1
1	3	1

|답| (1) 최대 11개,   (2) 3가지, 풀이 참조

02 |풀이| • 최대 : 41개   • 최소 : 31개

	2	3			3
	2	5	4		5
3	2	3	3	1	3
4	2	4			4
	1	1	1		1

   4   2   5   4   1

	1	3			3
	1	5	4		5
1	1	1	3	1	3
4	2	1			4
	1	1	1		1

   4   2   5   4   1

|답| 10개

03 |풀이| 쌓기나무를 쌓는 방법은 다음과 같습니다.

A	C	1
		1
B	D	1

```
A ─ B ─ C ─ D
3 ┌ 1 ┌ 1 ─ 2 … ①
  │   ├ 2 ─ 2 … ②
  │   └ 2 ─ 1 … ③
  ├ 2 ┌ 1 ─ 2 … ④
  │   ├ 2 ─ 2 … ⑤
  │   └ 2 ─ 1 … ⑥
  └ 3 ┌ 1 ─ 2 … ⑦
      ├ 2 ─ 2 … ⑧
      └ 2 ─ 1 … ⑨
2 ─ 3 ┌ 1 ─ 2 … ⑩
      ├ 2 ─ 2 … ⑪
      └ 2 ─ 1 … ⑫
1 ─ 3 ┌ 1 ─ 2 … ⑬
      ├ 2 ─ 2 … ⑭
      └ 2 ─ 1 … ⑮
```

위와 같이 쌓기나무를 각각 쌓은 모양을 오른쪽 옆에서 본 모양은 다음과 같습니다.

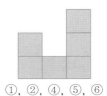 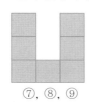 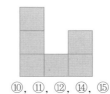 

①, ②, ④, ⑤, ⑥   ③   ⑦, ⑧, ⑨   ⑩, ⑪, ⑫, ⑭, ⑮   ⑬

|답| 5가지

Plus 유형

P. 148

01 |풀이|

|답| 4개

02 |풀이| 쌓기나무를 쌓아 만든 모양을 위, 앞, 오른쪽 옆에서 본 모양은 다음과 같습니다.

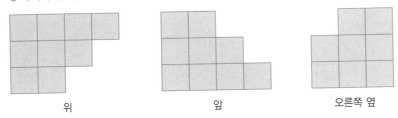

위　　　　　　　　앞　　　　　　　오른쪽 옆

쌓기나무를 가장 적게 사용하여 이 모양을 만들 때의 개수를 찾습니다.

3	1	1	1	3
1	3	2		3
1	2			2

　3　　3　　2　　1

최소로 사용할 때 15개이고 원래의 쌓기나무는 21개입니다. 따라서 최대 6개를 빼서 위와 같은 모양을 만들면 됩니다. 만들 수 있는 모양은 다르지만 사용되는 쌓기나무의 개수는 15개로 같습니다.

|답| 6개

03 |답| (1)

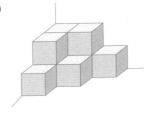

(2)

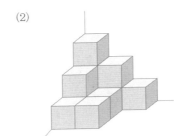

수와 연산

1. 나눗셈과 곱셈

P. 152

|풀이|

$\square \div 13 = \blacktriangle \cdots \blacktriangle$ ($\blacktriangle < 13$)이므로

$\square = 13 \times \blacktriangle + \blacktriangle = (13+1) \times \blacktriangle = 14 \times \blacktriangle$ 입니다.

또한 $\square$는 100보다 큰 수이므로 $\blacktriangle > 7$입니다.

$\blacktriangle = 8$일 때, $\square = 112$

$\blacktriangle = 9$일 때, $\square = 126$

$\blacktriangle = 10$일 때, $\square = 140$

$\blacktriangle = 11$일 때, $\square = 154$

$\blacktriangle = 12$일 때, $\square = 168$

|답|

$112 \div 13 = 8 \cdots 8$

$126 \div 13 = 9 \cdots 9$

$140 \div 13 = 10 \cdots 10$

$154 \div 13 = 11 \cdots 11$

$168 \div 13 = 12 \cdots 12$

2. 연속수

P. 153

|풀이|

다음과 같이 연속수의 개수가 홀수 개인 경우와 짝수 개인 경우로 나누어 찾습니다.

• 연속수의 개수가 홀수 개인 경우
  → (연속수의 합)=(가운데 수)×(개수)
    $15 \times 3 \rightarrow 14 + 15 + 16$
    $9 \times 5 \rightarrow 7 + 8 + 9 + 10 + 11$
    $5 \times 9 \rightarrow 1 + 2 + 3 + 4 + 5 + 6 + 7 + 8 + 9$

• 연속수의 개수가 짝수 개인 경우
  → (연속수의 합)=(가운데 두 수의 합)×(개수)÷2
    $45 \times 1 \rightarrow 22 + 23$
    $15 \times 3 \rightarrow 5 + 6 + 7 + 8 + 9 + 10$

|답|

$14 + 15 + 16$, $7 + 8 + 9 + 10 + 11$, $1 + 2 + 3 + 4 + 5 + 6 + 7 + 8 + 9$,
$22 + 23$, $5 + 6 + 7 + 8 + 9 + 10$

3. 복면산

P. 154

|풀이|

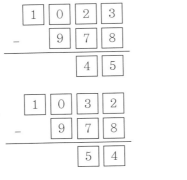

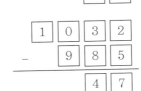

$\boxed{A}\,\boxed{B}$ 는 $\boxed{E}$ 보다 1 큰 수이므로
$\boxed{A} = 1$, $\boxed{B} = 0$,
$\boxed{E} = 9$입니다.

한편, 두 수의 차가 두 자리 수이므로 $\boxed{C}$ 가 $\boxed{F}$ 보다 작도록 일의 자리 숫자부터 남아 있는 수 2, 3, 4, 5, 6, 7, 8을 써넣으면 다음과 같습니다.

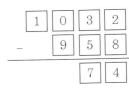

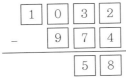

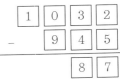

이 외에도 여러 가지 답이 나올 수 있습니다.

|답| 풀이 참조

4. 분수 만들기

P. 155

|답|

$$(4+8) \div (1+2\times5+3+6+7+9) = \frac{1}{3}$$

$$(3+6) \div (1+2+4+5+7+8+9) = \frac{1}{4}$$

$$(1+7) \div (2\times5+3+4+6+8+9) = \frac{1}{5}$$

$$(3+4) \div (2\times6+1+5+7+8+9) = \frac{1}{6}$$

$$6 \div (1+2\times5+3+4+7+8+9) = \frac{1}{7}$$

$$5 \div (1+2+3+4+6+7+8+9) = \frac{1}{8}$$

$$5 \div (1+2\times7+3+4+6+8+9) = \frac{1}{9}$$

이 외에도 여러 가지 방법이 있습니다.

5. 처음 수

P. 156

|풀이| 홀수의 이전 수는 홀수가 될 수 없습니다. 뺄셈이 2번까지만, 나눗셈이 4번까지만 가능한 것을 생각하여 거꾸로 찾습니다.

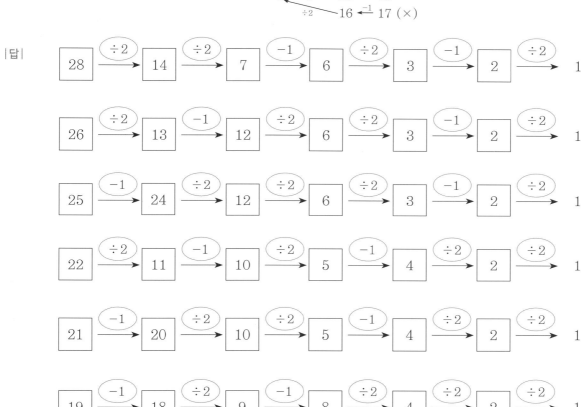

|답|

$$28 \xrightarrow{\div 2} 14 \xrightarrow{\div 2} 7 \xrightarrow{-1} 6 \xrightarrow{\div 2} 3 \xrightarrow{-1} 2 \xrightarrow{\div 2} 1$$

$$26 \xrightarrow{\div 2} 13 \xrightarrow{-1} 12 \xrightarrow{\div 2} 6 \xrightarrow{\div 2} 3 \xrightarrow{-1} 2 \xrightarrow{\div 2} 1$$

$$25 \xrightarrow{-1} 24 \xrightarrow{\div 2} 12 \xrightarrow{\div 2} 6 \xrightarrow{\div 2} 3 \xrightarrow{-1} 2 \xrightarrow{\div 2} 1$$

$$22 \xrightarrow{\div 2} 11 \xrightarrow{-1} 10 \xrightarrow{\div 2} 5 \xrightarrow{-1} 4 \xrightarrow{\div 2} 2 \xrightarrow{\div 2} 1$$

$$21 \xrightarrow{-1} 20 \xrightarrow{\div 2} 10 \xrightarrow{\div 2} 5 \xrightarrow{-1} 4 \xrightarrow{\div 2} 2 \xrightarrow{\div 2} 1$$

$$19 \xrightarrow{-1} 18 \xrightarrow{\div 2} 9 \xrightarrow{-1} 8 \xrightarrow{\div 2} 4 \xrightarrow{\div 2} 2 \xrightarrow{\div 2} 1$$

1. 도형 색칠하기

P. 157

|답|

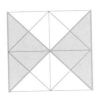 

2. 도형 붙이기

P. 158

|풀이|

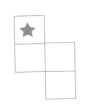  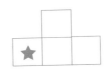 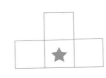 

|답| 풀이 참조

3. 도형 맞추기

P. 159

|답|

이 외에도 여러 가지 답이 나올 수 있습니다.

4. 쌓기나무의 위앞옆

P. 160

|풀이| 위에서 본 모양의 아래에 앞에서 본 모양의 개수를 써넣고 가장 낮은 층인 1을 채웁니다.

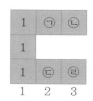

㉠과 ㉢중에서 적어도 하나는 2, ㉡과 ㉣ 중에서 적어도 하나는 3이 되어야 합니다.
따라서 (㉠, ㉢)=(1, 2), (2, 1), (2, 2)가 될 수 있고, (㉡, ㉣)=(1, 3), (2, 3), (3, 3), (3, 1), (3, 2)가
될 수 있습니다.
그런데 옆에서 보면 각 줄에서 가장 높게 쌓인 쌓기나무가 보이므로 5가지입니다.

|답|

5. 정팔면체 전개도

P. 161

|풀이| 전개도를 접었을 때, 만나는 꼭짓점을 표시해 보면
다음과 같습니다. 따라서 한 꼭짓점에 모이는 네 면
에 1, 2, 3, 4가 모두 있도록 알맞은 수를 넣습니다.

|답|

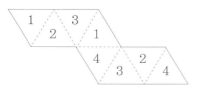 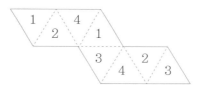

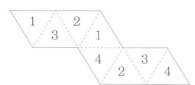 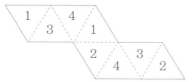

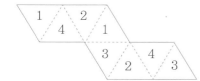 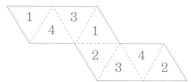

1. 넓이가 같은 도형

P. 162

|답|

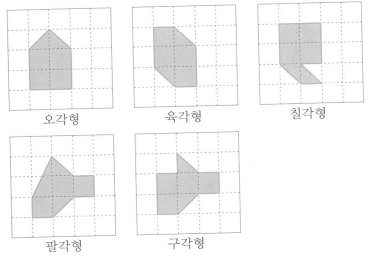

오각형   육각형   칠각형

팔각형   구각형

이 외에도 답은 여러 가지입니다.

2. 부피가 같은 도형

P. 163

|답|

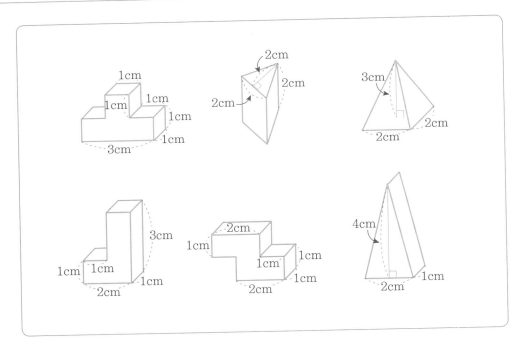

이 외에도 여러 가지 답이 나올 수 있습니다.

3. 삼각형의 조건

P. 164

|풀이| (가장 긴 변)<(다른 두 변의 합)이어야 삼각형이 된다는 것에 주의하여, 가장 긴 변의 길이에 따라 경우를 나누어 찾습니다.

|답|

성냥개비의 개수(개)	삼각형의 개수(개)	성냥개비 한 개의 길이를 1로 하여 삼각형 그리기
3	1	예 △ 1, 1, 1
4	0	
5	1	△ 2, 2, 1
6	1	△ 2, 2, 2
7	2	△ 3, 2, 2 △ 3, 3, 1
9	3	3, 3, 3 4, 4, 1 4, 3, 2
12	3	4, 4, 4 5, 5, 2 5, 4, 3

4. 넓이에 맞게 도형 그리기

P. 165

|답|

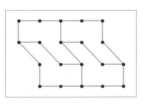
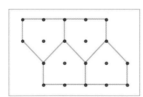
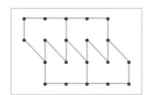
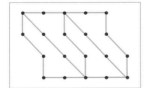
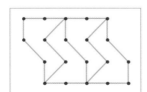

5. 도형 그리기

|풀이| 넓이가 6cm²이므로 넓이가 1cm²인 정사각형 6개를 변끼리 이어 붙여 찾습니다.

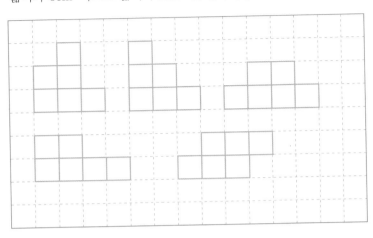

|답| 풀이 참조

1. 길 찾기

P. 167

|풀이|

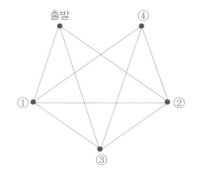

4개의 점을 지나 출발점으로 다시 돌아오려면 적어도 5개의 선분을 지나야 합니다. 선분은 긴 선분과 짧은 선분 2가지가 있는데, 출발점과 ④가 연결되어 있지 않아 짧은 선분 5개를 지날 수는 없습니다. 또 긴 선분 1개를 지나면 짧은 선분 4개를 지나서 출발점으로 돌아올 수 없습니다.

따라서 짧은 선분 3개와 긴 선분 2개를 지나 출발점으로 되돌아오는 방법을 생각해 봅니다.

|답|

출발점 − ① − ② − ④ − ③ − 출발점

출발점 − ① − ④ − ③ − ② − 출발점

출발점 − ② − ③ − ④ − ① − 출발점

출발점 − ③ − ④ − ② − ① − 출발점

2. 조건에 맞게 그리기

P. 168

|풀이| 조건을 만족하는 모든 경우를 나타내면 다음과 같습니다.

|답| 풀이 참조

3. 같은 합 만들기

P. 169

|풀이| 1~8의 합이 36이고 정육면체의 마주보는 두 면의 합이 같아야 하므로 정육면체의 각 면에 있는 네 수의 합은 18이 되어야 합니다. 이를 이용하여 수를 맞추면 4가지 형태가 나옵니다.

|답|

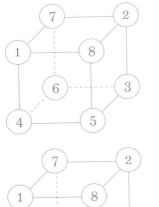
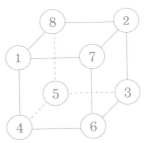
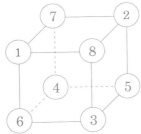
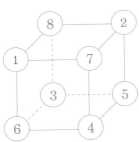

4. 가로·세로 합 퍼즐

P. 170

|풀이| 6=1+2+3, 7=1+2+4이므로 각각의 세로줄에는 1에서 4까지의 수가 한 번씩 들어가는 규칙을 먼저 이용합니다. 그런 다음 규칙 따라 빈칸에 알맞은 수를 써넣습니다.

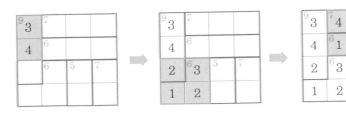

|답| 풀이 참조

5. 바둑돌 퍼즐

P. 171

|답| (1)

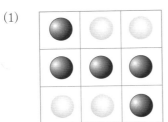

(2)

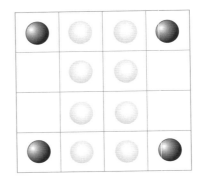

1. 패리티

P. 174

01 |답|
(1) B, C
(2)

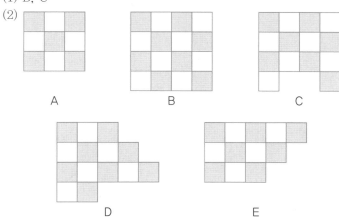

도형	작은 사각형 개수(개)	흰색 사각형 개수(개)	검은색 사각형 개수(개)	흰색 사각형과 검은색 사각형의 개수의 차(개)	도미노 모양으로 만들 수 있는 가능성
A	9	4	5	1	없다
B	16	8	8	0	있다
C	14	7	7	0	있다
D	14	6 (8)	8 (6)	2	없다
E	12	5 (7)	7 (5)	2	없다

(3) ·만들려고 하는 모양의 작은 사각형의 수가 홀수인 경우
　→ 짝수를 아무리 더하여도 홀수가 될 수 없으므로 작은 사각형 2개로 이루어진 도미노 모양으로 만들 수 없습니다.
·만들려고 하는 모양의 작은 사각형의 수가 짝수인 경우
　→ 체스판 모양으로 색칠했을 때 흰색 사각형의 개수와 검은색 사각형의 개수가 같으면 도미노 모양으로 만들 수 있습니다.
　→ 체스판 모양으로 색칠했을 때 흰색 사각형의 개수와 검은색 사각형의 개수가 다르면 도미노 모양으로 만들 수 없습니다.

02 |풀이|
바꿀 수 없는 경우 : B, C, F
주어진 규칙으로 칩을 아무리 뒤집어도 정사각형 모양의 꼭짓점 네 곳(○)에 있는 연두색 칩의 개수가 항상 홀수개입니다. 따라서 네 곳에 있는 칩의 색깔이 항상 같지 않으므로 모든 칩의 색깔도 같게 만드는 것은 불가능합니다.

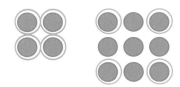

|답| 풀이 참조

2. 거울과 각

01 |답| (1)

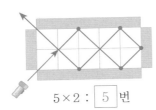

5×2 : $\boxed{5}$ 번

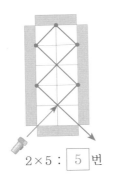

2×5 : $\boxed{5}$ 번

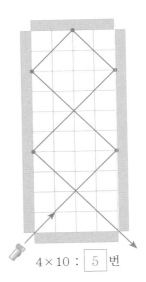

4×10 : $\boxed{5}$ 번

(2)

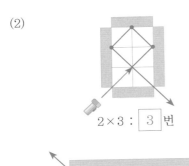

2×3 : $\boxed{3}$ 번

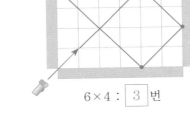

6×4 : $\boxed{3}$ 번

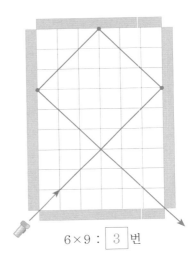

6×9 : $\boxed{3}$ 번

(3) 가로 칸의 수와 세로 칸의 수를 각각 두 수의 최대공약수로 나누면 똑같은 모양의 사각형
이 됩니다.
즉, 주어진 방 모양은 크기만 다를 뿐 모양이 같습니다. 따라서 빛을 동일한 방향으로 쏘게
되면 빛의 이동 방향은 같아져서 결국 빛이 거울에 반사되는 횟수도 같아집니다.

02 |풀이| 거울에 모두 6번 반사됩니다.
60×36의 칸에서 반사되는 횟수는 60과 36의 최대공약
수 12로 가로 칸의 수와 세로 칸의 수를 각각 나눈 모양인
5×3의 칸에서 반사되는 횟수와 같습니다. 따라서 5×3의
칸을 그려 빛이 반사되는 횟수를 찾으면 됩니다.

5×3

|답| 풀이 참조

3. 점판과 넓이

01 |답|

(1)

도형	가	나	다	라	마	바
둘레 위의 점의 개수(개)	4	3	5	8	6	10
도형의 넓이	1	$\frac{1}{2}$	$1\frac{1}{2}$	3	2	4

(2) (다각형의 넓이) = (둘레 위의 점의 개수) ÷ 2 − 1

02 |답|

(1)

도형	가	나	다	라	마	바	사	아
둘레 위의 점의 개수(개)	4	4	6	6	6	5	4	6
내부의 점의 개수(개)	0	1	1	2	1	1	4	2
도형의 넓이	1	2	3	4	3	$2\frac{1}{2}$	5	4

(2) (다각형의 넓이) = 둘레 위의 점의 개수 ÷ 2 + 내부의 점의 개수 − 1

03 |답|

(1)
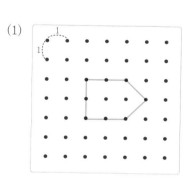

(2)
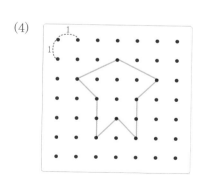

(3)

(4)

01 |답안예시| (1)

> · C가 나올 확률은 $\frac{1}{2}$이고, A와 B가 나올 확률은 각각 $\frac{1}{4}$입니다.
> · C가 나올 확률은 A가 나올 확률과 B가 나올 확률의 각각 2배입니다.
> · C가 나올 확률은 A 또는 B가 나올 확률과 같습니다.

(2)

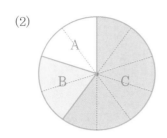 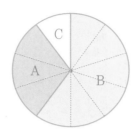

02 |풀이| (1)

은선 \ 민성	1	5	8
2	은선	민성	민성
4	은선	민성	민성
9	은선	은선	은선

이기는 횟수가 민성이는 4번, 은선이는 5번으로 은선이가 더 많습니다.
따라서 은선이가 이길 확률이 더 높습니다.

(2) ① 세 칸 중 한 칸에는 1과 같은 수를 쓰고, 나머지 두 칸에는 5보다 크고 8보다 작은 수 중에서 서로 다른 두 수를 각각 골라 씁니다.

은선

② 세 칸 중 한 칸에는 5와 같은 수를 쓰고, 나머지 두 칸에는 1보다 크고 5보다 작은 수 중에서 하나, 5보다 크고 8보다 작은 수 중에서 하나를 각각 골라 씁니다.

은선

③ 세 칸 중 한 칸에는 8과 같은 수를 쓰고, 나머지 두 칸에는 1보다 크고 5보다 작은 수 중에서 서로 다른 두 수를 각각 골라 씁니다.

은선

④ 세 칸에 1, 5, 8을 각각 씁니다.

은선

|답| (1) 풀이 참조 (2) 풀이 참조

03 |풀이|

학생이 A 스피너를 선택하면 선생님은 B 스피너를 선택합니다.
학생이 B 스피너를 선택하면 선생님은 C 스피너를 선택합니다.
학생이 C 스피너를 선택하면 선생님은 A 스피너를 선택합니다.
다음과 같이 표를 그려 확률을 따져보면 가위바위보 게임과 같은 원리가 적용됩니다.

① A와 B 스피너를 고를 경우　② B와 C 스피너를 고를 경우　③ C와 A 스피너를 고를 경우

B＼A	1	7	8
2	B	B	B
3	A	A	B
9	A	A	B

(A : 4번, B : 5번)
➡ B 주사위가 유리

C＼B	2	3	9
4	C	C	B
5	C	C	B
6	C	C	B

(B : 3번, C : 6번)
➡ C 주사위가 유리

A＼C	4	5	6
1	C	C	C
7	A	A	A
8	A	A	A

(C : 3번, A : 6번)
➡ A 주사위가 유리

|답| 풀이 참조

5. 님게임

P. 190

01 |답|

(1)

반드시 이기는 방법

오른쪽 3개의 잎 중에서 1개를 뗍니다. 그 다음부터는 계속해서 상대방이 가져간 잎의 개수와 같은 개수로 서로 다른 쪽 방향의 잎을 뗍니다.
순서는 상대방 다음에 내 차례가 되므로 결국에는 내가 마지막 순서가 되어 마지막 잎을 떼게 됩니다.(대칭성 전략)

(2)

반드시 이기는 방법

나중에 하여 상대방이 가져간 잎의 개수와 같은 개수로 서로 다른 쪽 방향의 잎을 뗍니다.
순서는 상대방 다음에 내 차례가 되므로 결국에는 내가 마지막 순서가 되어 마지막 잎을 떼게 됩니다.(대칭성 전략)

02 |답|　(1)

> **반드시 이기는 방법**
>
> A접시에서 구슬 2개를 가져갑니다.
> 그 다음부터는 계속해서 상대방이 가져간 구슬의 개수와 같은 개수로 서로 다른 접시
> 에서 구슬을 가져갑니다.
> 순서는 상대방 다음에 내 차례가 되므로 결국에는 내가 마지막 순서가 되어 마지막
> 구슬을 가져가게 됩니다.

　|답|　(2)

> **반드시 이기는 방법**
>
> B접시에서 구슬 1개를 가져갑니다.
>
> • 이후 상대방이 B접시에서 구슬 1개를 가져가는 경우
> 　내 차례에 A접시에서 구슬 1개를 가져갑니다. 그런 다음 남은 구슬 3개 중에서 상
> 　대방이 1개를 가져가면 내가 2개를 가져가고, 상대방이 2개를 가져가면 내가 1개
> 　를 가져가서 결국 내가 이기게 됩니다.
>
> • 이후 상대방이 A접시에서 구슬 1개를 가져가는 경우
> 　내 차례에 A접시에서 구슬 2개를 가져가면 두 접시에 구슬이 각각 1개씩 남아 대칭
> 　성 전략을 이용하면 이길 수 있습니다.
>
> • 이후 상대방이 A접시에서 구슬 2개를 가져가는 경우
> 　내 차례에 A접시에서 구슬 1개를 가져가면 두 접시에 구슬이 각각 1개씩 남아 대칭
> 　성 전략을 이용하면 이길 수 있습니다.

03 |답|

> **반드시 이기는 방법**
>
> 게임을 먼저 시작하여 원탁의 한 가운데에 동전을 놓습니다. 다음 차례부터는 상대방
> 이 놓은 위치와 가운데 놓인 동전을 중심으로 점대칭이 되는 위치에 동전을 따라 놓
> 으면 상대방이 먼저 동전을 놓을 곳이 없어져 반드시 이기게 됩니다.

memo

memo

영재학급·영재교육원 대비서

팩토 영재성 검사 창의적 문제 해결력 수학

— 정답과 풀이 —

논리적 사고력과 창의적 문제해결력을 키워 주는
매스티안 교재 활용법!

대상	창의사고력 교재		연산 교재
	팩토슐레 시리즈	팩토 시리즈	원리 연산 소마셈
4~5세	팩토슐레 Math Lv.1 (6권)		
5~6세	팩토슐레 Math Lv.2 (6권)	킨더팩토 A 킨더팩토 B 킨더팩토 C 킨더팩토 D	소마셈 K시리즈 K1~K8
6~7세	팩토슐레 Math Lv.3 (6권)		
7세~초1		키즈 원리A, 탐구A 키즈 원리B, 탐구B 키즈 원리C, 탐구C	소마셈 P시리즈 P1~P8
초1~2		Lv.1 원리A, 탐구A Lv.1 원리B, 탐구B Lv.1 원리C, 탐구C	소마셈 A시리즈 A1~A8
초2~3		Lv.2 원리A, 탐구A Lv.2 원리B, 탐구B Lv.2 원리C, 탐구C	소마셈 B시리즈 B1~B8
초3~4		Lv.3 원리A, 탐구A Lv.3 원리B, 탐구B Lv.3 원리C, 탐구C	소마셈 C시리즈 C1~C8
초4~5		Lv.4 기본A, 실전A Lv.4 기본B, 실전B	소마셈 D시리즈 D1~D6
초5~6		Lv.5 기본A, 실전A Lv.5 기본B, 실전B	
초6~		Lv.6 기본A, 실전A Lv.6 기본B, 실전B	

연산 교재	영재교육원·영재학급 교재	대상	교과 수학 교재	
사고력 연산 팩토 연산	영재성검사 / 창의적문제해결력		1학기	2학기

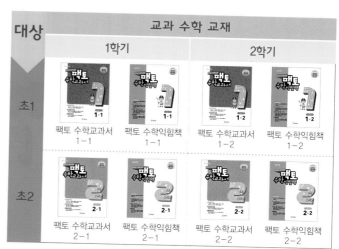

대상			
	초1	팩토 수학교과서 1-1 / 팩토 수학익힘책 1-1	팩토 수학교과서 1-2 / 팩토 수학익힘책 1-2
	초2	팩토 수학교과서 2-1 / 팩토 수학익힘책 2-1	팩토 수학교과서 2-2 / 팩토 수학익힘책 2-2

팩토 연산 P01~P05

팩토 연산 A01~A05

팩토 연산 B01~B05

영재성 검사 A

영재성 검사 모의고사 A

팩토 영재성 검사 & 창의적 문제해결력 3·4학년

팩토 연산 C01~C05

영재성 검사 B

영재성 검사 모의고사 B

팩토 영재성 검사 & 창의적 문제해결력 5·6학년

영재성 검사 C

영재성 검사 모의고사 C

팩토 영재성 검사 & 창의적 문제해결력 중1·2학년

대상

보드게임 팩토아이

FACTO MATH BOARDGAME

[수] CROSS NUMBER

보드게임 / 워크북

[도형] LET'S SPIN

보드게임 / 워크북

[연산] DICE PLUS DICE

보드게임 / 워크북

[측정] Time Navigation

보드게임 / 워크북

[규칙성] Same Same

보드게임 / 워크북

[문제해결력] Finger War

보드게임 / 워크북

6세 이상 ~ 초등 저학년

팩토

영재성 검사

창의적 문제 해결력 _{수학}

자율안전확인신고필증번호 : B361H200-4001

1. 주소 : 06153 서울특별시 강남구 봉은사로 442 (삼성동)
2. 문의전화 : 1588-6066
3. 제조국 : 대한민국
4. 사용연령 : 13세 이상
※ KC마크는 이 제품이 공통안전기준에 적합하였음을 의미합니다.

⚠ 주의

종이 모서리에 다칠 수 있으니 주의하세요!

값 15,000원

53410

9 788928 647606

ISBN 978-89-286-4760-6